산타를 만난 도둑

산타를 만난 도둑

발 행 | 2024년 1월 22일
저 자 | 양산호
펴낸이 | 한건희
펴낸곳 | 주식회사 부크크
출판사등록 | 2014.07.15.(제2014-16호)
주 소 | 서울특별시 금천구 가산디지털1로 119 SK트윈타워 A동 305호
전 화 | 1670-8316
이메일 | info@bookk.co.kr

ISBN | 979-11-410-6797-7

www.bookk.co.kr

산타를 만난 도둑

양산호 지음

에필로그

이 일기장은 어느 날 길을 걷던 도중, 잠시 머물렀던 거리에 있었다. 사람들이 분주히 오가는 버스 정류장 부근이었다. 나는 버스를 기다리는 중이었다. 날씨는 추웠고, 주머니에 손을 넣고 서성거리고 있었을 것이다. 정확히 말하면 정보신문 꽂아 놓는 보관함에 이것이 꽂혀 있었다. 정보신문들은 일찌감치 사라지고 한 장도 남아있지 않았다. 요즘 정보신문들은 그전처럼 많은 부수를 놓아두지 않는다. 아마도 신문지가 필요한 사람들이 한 뭉텅이씩 가지고 사라지기 때문일 것이다. 적은 부수를 여러 차례 놓아두려는 작전인가 보았다. 보관함은 어떻게 보면 긴 다리가 네 개 있고 칸칸이 나누어져 있어 비둘기집처럼 보였는데 여러 종류의 정보신문들이 들어 있는 집이었다. 그런데 먼지가 앉고 더러운 것을 보니 아주 오래된 것처럼 보였고, 멀리 떨어지지 않은 곳에 플라스틱 뚜껑이 달린 새로운 보관함이 있었다. 아마도 오래된 집을 내버려 둔 채 새로운 집을 만든 것 같았다. 그렇다면 이 일기장은 얼마나 오래 여기 있었던 것일까. 지나던 사람들은 이것이 여기 있다는 것을 몰랐을까. 호기심에 손에 잡았다가 내려놓은 사람도 있었을 것이다. 그러나 몇 장 넘겨보고는 다시 제자리에 처박았을 것이다. 겉장은 뜯어져 있어 책이나 공책으로 보기 어려웠다. 누가 생각 없이 버린 폐지였다.

버스를 기다리던 나는 우연히 그것을 보았고, 나와 비슷한 사람들처럼 호기심에 그것을 집어 들었다. 이것은 혹시 암호문이 아닐까. 보물섬 지도는 아닐까. 생각지도 못한 내용이 담겨 있을 것 같아 가슴이 두근거렸다. 나는 빨강 머리 앤 기질이 있는가 보다. 상상이 이어졌다. 어쩌면 짝사랑 이야기가 절절하게 적혀 있는 것은 아닐까. 이룰 수 없는 사랑을 적는 것으로 그리움을 달랬을까. 아니면 누군가의 욕을 써 놓은 것은 아닐까. 억압적인 상황에 있는 사람의 말을 그것이 들어주었을 것이다. 나는 일기장을 집어 들며 많은 상상을 했다. 언젠가 이렇게 시작하는 소설을 읽은 것도 같았다. 결말이 어떻게 되었을까. 추리소설이었나. 누군가가 죽고. 아니야, 어쩌면 이것은 난수표와 비슷한 것일 거야. 그게 아니라면 의도적으로, 자신이 쓴 일기장을 이런 곳에 누구나 볼 수 있게 내던지는 사람은 없어. 아니야, 암으로 고생하던 한 남자가, 아니면 여자가 이제 그 상태를 벗어났기 때문에, 아니면 하늘나라에 갔기 때문에 환자의 가족이 견딜 수 없어 지나는 길에 던져 버릴 수도 있어. 아, 재활용장에 던져 버릴 수도 있지만, 그러기에는 너무나 소중한 기록이기에 누군가가 보고 이것을 알아주고, 자신의 마음을 헤아려 주지 않을까 기대했을 수도 있어.

아무튼 나는 더 이상 뜸을 들일 수 없다는 생각이 들었을 때 일기장 첫 장을 열었다. 글씨는 그다지 반듯하거나 꼼꼼하게 쓰여 있지 않았다. 빨리 쓰기 위해 눕혀서 썼고 약간 갈겨쓴 글씨여서 어떻게 보면 영자라고 생각될 정도였다. 그렇다면 주인공은 여자가 아니라 남자였다. 나는 읽기 힘들지만 서서히 읽어 갔다. 말 그대로 난수표 기분도 들었다. 앞으로 갔다가 다시 돌아오기도 했고, 엉터리 같아 피식 웃기도 했지만, 그때 그 시절 사람이라면 누구나 듣고 보지

않았을까 하는 생각이 들었다. 아래의 글들은 이 일기장을
그대로 옮긴 것이다.

***

드디어 나도 연체자가 되었다. 이 얼마나 즐거운 일인가. 카드회사의 여직원들은 쉬지 않고, 아니, 하루도 빠지지 않고 내게 전화할 것이다. 그리고 곧 신용불량자에 등재될 것이다! 이렇게 외칠 수 있다면 얼마나 좋을까. 다시 말해 이것이 우리가 말하는 좋은 일에 해당하고 다른 사람들에게 칭찬 받을 일이라면 얼마나 좋을까.

그러나 이런 말은 사람들에게 소리 높여 말할 수 있는 성질의 것이 아니었다. 행여 주위 사람들이 알세라 쉬쉬해야 한다. 주위의 사람들이 알게 된다면 냉담하고 싸늘한 시선을 느껴야 하며, 보이지 않은 멸시와 조롱을 당할 수 있는 말이다.

언제부터 연체자가 되는 것이 사회의 좋지 못한 시선을 받게 되었을까? 아마 그리 오래되지는 않았을 것이다. 연체자라는 말은 신용카드라는 것이 생기면서 사람들에게 흔히 불리게 된 말이었다.

하긴, 지금 이 땅에는 수많은 연체자가 있고, 심지어 죽는 사람도 있으니까 내가 P카드사에서 대환대출을 신청한 것은 그리 신기할 일도 놀랄 일도 아닌 것이다. 바닷가 수

많은 모래알 속의 하나가 바로 나인 셈이다.

그렇게 마음을 먹어도 입에서 한숨이 흘러나온다. 횡단보도 앞에서 신호를 기다리는 몇 분 동안 내 몸을 휩싸고 지나가는 바람은 얼마나 매서웠는지 모른다. 이제 나는 이 한 겨울 거리에 내몰릴지도 모른다. 두 아이들을 데리고. 신용카드 채권관리 직원들은 각다귀처럼 달려들어 내 팔과 다리 온몸을 물어뜯고 끝내 피를 볼 것이다.

문득 이런 상태에 빠진 내게 손을 내밀지 않는 누군가가 미워진다. 마치 부모나 연인에게서 버림을 받았을 때처럼 서러워진다.

'내겐 아무도 없구나.'

문득 국가라는 형체 없는 괴물이 미워진다. 왜 하필 국가인지는 잘 모르겠다. 그가 어려울 때 내가 도와줬지만 막상 내가 어려울 때는 도움을 받지 못하는 것 같은 기분이 든다. 서로 어려울 때 돕고 사는 것이 인지상정이 아닌가. 국가라는 것을 하나의 인격으로 보면 어떤 모습을 하고 있을지 그림을 그려본다. 아주 욕심이 많고 심술이 많은 아저씨. 자식을 편애하는 부모. 힘이 센 친구들과 어울려 약한 친구를 괴롭히는 아이. 입에 발린 말로 위로하고, 뒤돌아서서 조롱하고, 쑥덕거리는 장난꾸러기.

이렇게 생각하자, 기분이 유쾌해진다. 국가가 있어야 내가 있는 거라고? 내가 어릴 때 어른들은 이런 말들을 곧잘 했었어. 나라 없는 백성의 설움이 얼마나 큰지 아느냐고 말할 것이다. 아마 당신들도 이런 말들을 철썩같이 믿었을 거야. 하지만 지금은 일제 강점기가 아니다. 이제 그런 말들은 뜻이 달라졌어. 그것은 국민들을 현혹하기 위한 세뇌용 경구들이야.

국가가 없으면 내가 없는 것이 아니라 내가 없으면 국가는 없다는 평범한 진리를 나는 오늘에야 깨달았다. 정말 바보 같다! 삼십 대 후반에야 이것을 깨닫다니. 그러나 이런 생각을 해도 되는지 갑자기 겁이 난다. 지금까지 이 나라 국민은 이렇게 생각해서는 안 되었다. 독재자는 죽고, 폭력적인 공화국은 사라졌지만 여전히 그 속에서 활개 치던 사람들이 기득권 세력으로 기세등등 살아있으니 말이다.

***

사무실을 향해 걷고 있는데 핸드폰 벨이 울린다. 아니 진동이 오른쪽 허벅지에 느껴진다. 어쩌면 이것은 지구의 진동이 아닐까. 지구가 무너지기 시작한 조짐이 아닐까. 문득 그랬으면 좋겠다는 생각이 들지만 그럴 리 없다. 지구는 나이가 많지만 내가 죽은 이후까지 잘 살아남아, 후손뿐 아니라 다음 지구에 닿은 외계인들도 먹여 살릴 것이다. 나는 습관적으로 바지 주머니에 손을 넣었다. 역시 S카드사의 전화번호다. 얼굴도 모르는 여자가 어떻게 생겼을까 궁금해진다. 그녀는 내게 목소리로서 존재한다. 그것은 호기심이 아니다. 견딜 수 없는 고통의 근원에 대한 것이다. 어리석은 생각이지만, 그녀가 존재하지 않으면 내게 고통도 없을 것이다. 그녀는 한 번도 내가 어떤 상태에 있는지 고려해 본 적이 없을 것이다. 어떤 기분일지 상상해 보지 않았으리라. 말투는 또 어떤가. 매번 날카로운 힐난조다. 아이를 나무랄 때의 선생님 톤이다. 아니다. 그 정도라면 고개를 숙이고 잠시 놀라움 속에 있으면 되는 것이다. 이건 분노를 품고 있고, 적대적인 것이다.

"언제 입금할 수 있어요?"

이 말에 나는 할 말이 없다. 그녀는 결코 내 상태를 모르지 않을 것이다. 단지 자신이 겪어보지 못해 가슴으로 그 고통을 느끼지 못할 뿐이다. 잠시 침묵이 흐른다. 정확한 날짜를 말하면 분명 약속으로 잡힐 것이고, 다음에 전화했을 때는 왜 약속 날짜를 지키지 않으냐고 준엄한 법관처럼 외칠 것이다. 어느 때부터인가 배운 것처럼 도덕률은 지켜야 한다. 약속이란 반드시 이행해야 하고, 지키지 않았을 때는 비난을 감수해야 한다.

'어떻게 하지? 전화를 받을까, 말까?'

단 몇 초간 수천 가지 생각들이 수십만 톤의 무게로 내 어깨를 내리눌렀다. 머릿속이 빙빙 돌며 주위에 있는 빌딩들이 움직이기 시작한다. 걸음도 자연 휘청거리고 있다. 어느 소설가가 벼랑에서 추락하는 순간 자신의 지나온 삶 전체가 파노라마처럼 지나가더라고 했다. 내게 지나간 삶이란 검고 우울하다. 늪 속에 빠진 사슴의 모습이 떠오른다. 왜 이런 삶을 계속해야 하는지 모른다.

간신히 사무실이 세 들어있는 빌딩 앞에 이르렀다. 막 유리문을 밀었을 때 다시 바지 속에서 진동이 일어난다. 건물도 따라 부르르 떨고 있다. 전화를 받을까, 말까? 이번에는 망설이지 않고 싶다. 거부하고 싶다. 똑같은 일이 반복될 때

같은 방식으로 반응할 필요는 없다. 그대로 유리문을 밀고 엘리베이터 앞에 섰다.

'분명히 S카드가 틀림없어.'

나는 핸드폰을 열어 보지도 않고 추측해 버린다. 거기에는 그럴 만한 이유가 있다. 지금껏 S카드사 여직원은 하루도 빠짐없이, 내가 통화 버튼을 누를 때까지 전화를 걸었다.

'오늘도 이 여자는 포기하지 않을 거야.'

사실 그녀는 내게 전화할 권리가 있다. 돈을 갚지 않으면 평생 괴롭힐 수 있는 권리가 법적으로 보장되어 있다. 샤일록이 안토니오의 살을 베어낼 수 있는 권리가 법적으로 보장되어 있었다. 셰익스피어가 그걸 비웃어 준 것뿐이다. 그런 법은 누가 만든 것인가. 나는 거기까지는 들어가지 않기로 했다. 왜냐하면 법이란 것은 평소에는 누구의 눈에도 띄지 않고 숨어 있어 형체를 자세히 알 수 없지만 일단 실체를 드러내면 거대한 벽과 같아서 가난하고 힘없는 자들이 아무리 뛰어넘으려고 해도 넘을 수 없고, 아무리 두드려도 문을 열어주지 않는다. 하긴 가난한 사람들과 똑같은 법을 적용받아 처벌받을 것 같으면 누가 부자가 되려 할 것인가.

그녀가 내게 보내는 언어에도 고압적인 힘이 들어 있다. 그녀는 수식이나 꾸밈없이 단순한 단어를 사용한다. 그녀에게는 수사법도 메타포도 없다. 나는 그녀가 하는 어떤 말에도 복종할 태세가 되어 있다는 듯 공손하게 대답해야 한다. 그렇지 않으면 어떤 일이 일어날지 알 수 없다. 가슴 깊은 곳에서 두려움이 피어오른다.

"네. 알겠습니다."

이 말이 얼마나 이 남자를 비참하게 하는지 그녀는 아마 모를 것이다. 절망이 내 눈을 멀게 하고 슬픔이 심장을 파먹는지도. 그것들이 반복되면서 내 낯빛이 죽음의 빛을 띠게 되는 지도.

이런 그녀를 과연 내가 부처님이나 예수님처럼 사랑할 수 있을까. 무슨 빌어먹을 자비나 사랑이라니, 나는 성자가 될 수 없고 애써 노력할 필요도 없다. 차라리 체가 되는 것이 낫다. 체! 아니야. 어쩌면 그녀는 이 일로 인해 고통스러울지도 모른다. 자신의 의지와 상관없는 일을 하느라 심장이 조이는 고통을 느낄지 모른다. 혼자 술을 마시며 이런 일을 하며 살아가야 하는 인생을 저주할지도 모른다.

***

엘리베이터 안으로 성큼성큼 걸어 들어가는 서넛의 검은 정장 남자들. 그들은 모두 체구가 크고 힘깨나 쓸 것 같다. 지적인 느낌이라고는 조금도 풍기지 않는 이 남자들에게 나는 위압감을 느끼고 한껏 움츠러든다.

나는 이 남자들을 알고 있다. 그들의 표정은 주위 사람의 것과 달랐고, 주고받는 대화 내용도 일상의 것이 아니었다. 육중한 체구에서 뿜어져 나오는 살벌한 기운은 또 어떤가. 그들에게서 법이 금지하고 있음에도 불구하고, 당당하게 채무자에게 신체 포기각서를 요구하는 조폭의 냄새가 난다. 그런데 내가 그들과 같은 엘리베이터 안에서 자주 만나야 한다니. 그들 사이에 놓인 나는 어른들이 꽉 찬 만원버스 안의 초등학생 같다. 숨을 헐떡이며 엘리베이터 벽이나 숫자판을 보는 대신 바닥의 체크무늬 장판을 뚫어져라 본다.

'설마 이놈들이 내 얼굴을 아는 것은 아니겠지.'

얼굴을 힐끗 보려는 하는 사이 문이 열리고 육중한 남자들이 움직인다. 엘리베이터가 이리저리 흔들거린다. 그들의 앞에는 3층, 채권관리실이라는 글자가 선명한 표지판이 붙어 있다. 그들이 모두 사라지고 문이 닫히기 전까지 나는 눈을 크게 뜨고 노려본다. 언젠가 그들의 소굴에 몰래 잠입하기 위해 사전답사를 나온 것처럼.

이윽고 문이 닫히고 엘리베이터가 움직인다. 혼자 남게 된 나는 가볍게 숨을 내뱉는다. 이들은 어떤 계기로 채권관리직을 택하게 되었을까. 아마 여기에 심오한 의미는 없을 것이다. 그들을 낮게 평가하고 싶어서가 아니라 취업난이 극심하기 때문이다. 그들은 구미에 맞는 직업이 이것밖에 없기 때문에 이 일을 하고 있지는 않다. 아니 이 사회는 병든 사회다. 돈을 많이 벌기 위해 죽어라 공부하고, 성인이 되어서는 돈을 많이 벌기 위해 아등바등 살아야 한다. 그저 살아남기 위해, 무시당하지 않기 위해 사회가 요구하는 대로 살아야 한다. 생존과 이익만을 위해 사는 삶에 무슨 의미가 있을까. 이 나라는 자살 공화국이 아니던가. 하지만 단언하기는 이르다. 나는 이들과 깊은 대화를 나눠본 적이 없고, 친한 사람 가운데 이 직업에 종사한 사람은 알고 있지 않다.

그들이 어쩌다 한 번씩 내뱉던 말들을 떠올려 본다. 그들은 차를 한 대 끌고 왔는데 아직 쓸 만한데 살 사람이 없을까, 라거나 누구 집에 갔는데 좋은 게 하나 있어 집어 왔지, 라고 자랑삼아 말하기도 했다. 그럴 때마다 화가 치밀어

오른다. 시도 때도 없이 전화해서 협박하던 놈들. 마치 내가 이들에게 직접 당한 피해자인 것처럼 생각된다. 결국 한 마디 잘난 척 중얼거린다. 인간은 자신이 원하는 것만을 본다. 그리고 자신과 싸울 상대가 악이라고 느껴야만 죄의식에서 벗어나는 것이고.

직업이 놈들의 인격을 모조리 삼켜버렸어. 선량함은 사라지고 고통스러워하는 채무자를 보며 놈들은 즐거워할 거야. 아마 그놈들은 이런 일밖에는 할 수 없는 놈들일 거야. 평생, 이 짓이나 해 먹어라. 허무와 공허 속에서 허덕이다가 네 삶을 저주하여라.

빌어먹을 인간들. 그들에게 할 수 있는 악담은 모조리 생각해 내려고 애쓴다. 채무자들을 어르고 협박하고 수시로 핸드폰으로 전화할 뿐 아니라 집이나 사무실을 방문해서 일상생활에 의도적으로 지장을 주는 벌레들.

벌레들, 이라는 말이 떠오르자 통쾌한 기분이 되었다가 나도 한낱 벌레에 지나지 않는 것 같아 괴로워진다. 그래도 어느 날 갑자기 형벌처럼, 징그러운 벌레가 되어 가족의 짐이 되는 신세가 되는 것보다야 낫겠지. 그러다가 이 세상의 삶이라는 것도 하나의 허상이 아닐까 싶어진다. 그래, 눈을 감으면 모두 사라지는 이 세상은 가짜야. 인간은 아무 의미

없이 이 세상에 던져진 거야. 그저 하나의 시도에 불과한 거야. 나라는 인간도 그러니까 뜻 없는 시도에 불과한 거야.

***

요란한 사이렌 소리가 들려온다. 어디에 불이 난 게 아닐까. 아우성이 들리는 것 같다. 어쩌면 지구는 곧 망할 거야. 종말론자들이 외치는 것처럼 지구의 종말이 멀지 않았을지도 몰라. 나는 왜 지금 종말에 대해 생각할까. 가만, 비몽사몽 중에 들리는 소리는 시계의 알람이다. 사이렌 소리가 아니다. 아내나 아이들이 깰까 두려워 서둘러 버튼을 눌렀다. 조용해진다. 정확히 오전 6시다. 좀 앉아있을까, 아니면 바로 일어날까. 몇 번을 생각하다가 자리에서 일어선다.

'담배가 어디 있더라.'

실내화를 끌며 거실을 걸어가는 동안 여전히 눈을 감고 있다. 그러다가 서늘하게 다가오는 기운에 눈을 뜬다. 거실은 안방처럼 따뜻하지 않다. 더운 공기가 세력을 얻지 못하고 차가운 공기에 눌려 있다. 세상에서 말하는 따뜻한 사람이란 어떤 사람일까? 사람들은 그런 사람을 좋아하면서 왜 스스로 되려고 하지는 않을까. 그런 사람들이 많이 사는 세상을 바라지만 가능하지 않다는 것을 알고 있기 때문일까? 그래서 차갑고 냉정한 이성을 가진 사람으로 살려는 것일까. 현실을 직시할 줄 아는 사람, 감정에 휘둘리지 않는 사람, 자신과 가족에게만 충실한 사람.

담배에 불을 붙이고 남자아이가 오줌을 누는 그림이 붙은 화장실 문을 연다. 작은 창문을 열고 담배 연기를 훅 뿜어낸다. 몇 가닥은 밖으로 달아나고 몇 가닥은 내부에 남는다. 환풍기 없는 화장실은 금방 뿌연 담배 연기로 메워진다. 이룰 수 없는 꿈처럼 피어올랐다가 자취도 없이 사라지는 연기. 늘 꿈을 가져야 한다고 그랬지. 그때 선생님이나 형들이나 어른들이나. 그것이 없으면 오아시스 없는 고비사막이라고 말이지. 현실이란 냉혹하기 이를 데 없다는 말도 들었어. 하긴 현실만 본다면 누구든 절망하고 말겠지. 그래서 꿈을 본다는 거겠지. 본인들이 그 세상을 만들었으면서도 말이지. 꿈이나 현실이나 다를 게 하나도 없어. 우리의 눈이나 귀로, 보고 들은 것을 재료로 만들어낸 것뿐이야. 아니야, 현실이 냉혹한 건 우리 속에 짐승이 살기 때문이야. 돼지 같은, 여우 같은 짐승이 내 속에 살기 때문이지. 차라리 그걸 버리라고 하는 게 나아. 꿈을 가지라고 하지 마. 꿈은 현실이기도 하니까. 그걸 버리면 모든 게 평온해지지. 안 그래. 그런데 그게 가능할까. 나는 노래 가사를 쓰고 있다.

문득 아파트 9층에 살던, 1개월 전의 일이 떠오른다. 깨끗하고 넓기는 했지만 한시도 마음이 편치 못했던 그곳. 처음으로 가졌던 내 집이었지만 고작 6개월밖에 살지 못하고 나왔다. 넓은 강화마루 거실, 하얀색 주조의 인테리어. 연갈색 방문과 하얀 새시 유리문. 베란다에 서면 얕은 앞산과 작은 개울의 흐름이 눈앞에 펼쳐져 있었다. 지금 떠오르는 풍경, 다시는 돌아가고 싶지 않은 곳. 어느 것도 추억으로, 정감 있게 다가오지 않는다. 그중 베란다는 견딜 수 없는 고통을 몰고 온다. 그곳에서 담배를 피울 때마다 9층 높이에서 떨어져 피범벅이 되어 뒹구는 나를 보았다.

머리를 감고 나와 보니 아내가 식탁 위에 아침을 차려놓았다.

“언제 일어났어?”

“일어나야지, 그래도.”

아내는 마주 앉아 지난밤 꿈을 이야기한다.

“어젯밤 꿈에 우리가 어떤 아파트에 살고 있었어. 이름은 모르겠는데 12층이야. 정확히 생각나. 그 아파트에서 천천히 돌계단을 타고 내려왔어.”

“12층?”

“그래. 꿈에서 정확히 보이는 숫자는 어떤 의미를 가지고 있대. 돌계단을 내려오는 것은 아주 좋은 꿈이래.”

아, 위에서 아래로 내려오다니. 하강의 꿈은 아닌가. 돌계

단이라니, 야곱의 돌베개도 아니고. 속으로 이런 말을 하고 있다. 언제부터인가 우리는 간밤의 꿈을 서로에게 말하고 해몽을 부탁했다. 하루가 멀다고 꾸는 좋거나 나쁜 꿈들. 거기에는 어떤 의미가 있었다. 꿈이라고 할 수도 있는 것도 있었지만, 꿈속의 꿈이라니. 어느 때는 몰랐던 내 잘못이 발각 나 울기도 했다. 각성 상태에서는 몰랐던 무의식의 내가 거기 있었다.

"나는 시골 고향 집을 수리하는 꿈을 꾸었어."

"시골집 다 부서졌다고 했잖아."

"응. 담에 진흙을 바르고, 나무들을 새끼줄로 당겨서 펴주기도 하고. 음 그러다가 나중에 동생 부부가 왔을 거야."

"고향 집이라?"

아내의 말에 나는 꿈속을 더듬어 보았다. 무언가 환하게 비쳤는데, 뭐지. 전등이었다.

"고향 집에 전등이 환한 것은 좋은 꿈이잖아."

"그런데 왜 좋은 일이 일어나지 않는 거지?"

그래도 안심이 된다. 꿈은 우리를 외면하지 않는다. 꿈은 현실이니까 현실도 우리를 외면하지 않을 것이다. 꿈은 내가 생각하고 있는 것들을 유전자를 통해 물려받은 지식을 더듬어 반영해 주고, 희망이 담겨 있음을 알려준다. 그래서 우리는 아침마다 꿈 이야기를 하고 인터넷에서 꿈해몽을 뒤적인다.

***

싸늘하게 식은 엔진을 금방 살려내지 못하는 배터리. 엔진은 마치 죽어가고 있는 환자 같다. 심장을 되살리기 위해 가하는 수십 차례의 충격. 몇 번이나 키를 돌리고 난 후에야 겨우 시동이 걸린다. 배터리가 죽을 때가 된 것일까. 나는 잠시 내가 나온 집 대문과 살고 있는 위층을 올려다본다. 무의식중에 취해진 동작이다. 지금 이 순간 나는 살아있는가. 다시는 돌아올 수 없을 것 같은 느낌이 든다. 내 신발을 본다. 주위를 둘러본다. 그러나 차에 오르고 문을 닫는다. 차는 천천히 나아가고 있다. 차 안이 춥다. 가속페달을 밟아 달리고 싶은 마음을 억누른다. 마트 앞 신호등 앞에서야 히터 스위치를 돌린다. 여전히 따뜻한 바람은 요원하다. 내가 태어나고 자란 고향의 겨울이 떠오른다. 사방이 높은 산으로 둘러쳐진 고원은 여름이 시원한 만큼 겨울은 혹독했다. 겨울이면 허벅지가 푹푹 빠질 정도로 많은 눈이 내렸다. 내가 살았던 고장의 이름들을 불러본다. 겨울 추위를 피해 나는 이곳 남쪽으로 내려왔다. 좀 더 따뜻한 곳으로, 좀 더 온화한 곳으로.

'이제 달리자, 황야의 이리처럼!'

액셀러레이터를 밟는다. 다리를 지나는 동안 얼음에 덮인 시내 모습이 보인다. 저 얼음 왕국에서 사람이 살아가다니, 신기한 일이다.

'춥냐? 힘드냐? 그럼 달려라. 황야의 이리처럼.'

나는 황야의 이리가 된 것처럼 한바탕 몸을 후다닥 흔들어대고, 한기를 이기기 위해 달린다. 요즘 이곳을 달릴 때마다 외는 주문이다. 내가 알고 있는 이리는 헤르만 헤세의 '황야의 이리'이다. 그러나 그가 그리고자 했던 이리와는 아무 상관이 없다. 내가 아는 이리는 부모를 떠나 혼자 황야를 달리는 야생의 이리다. 친구나 부모가 없어 외로운 존재. 추위를 피하기 위해 굴속에서 아니면 비탈 움푹한 곳에서 낙엽을 뒤집어쓰고 잠을 청하며, 동이 트면 뻣뻣하게 언 몸을 녹이기 위해 황야를 달린다. 그러면 몸에 묻어 있던 이슬은 마르고 굳어있던 근육도 제 활동을 되찾는다.

다리를 지나자, 아스팔트 위에 하얀 물체가 보인다. 곧이어 피범벅이 된 동물임을 알 수 있다. 차바퀴가 덜컥 그 위를 지난다. 길고양이일 거야, 라는 추측보다 먼저 내 몸이 으깨어진 듯 느껴진다. 피범벅이 되어 누운 내가 차바퀴를 쳐다본다. 얼굴이 짓이겨진다. 나는 살아있는 게 맞을까. 금방이라도 내게 죽음이 다가올 것만 같다. 죽음은 어떤 것일까. 삶의 연장일까. 단절일까. 무한반복일까. 지금 이 순간이 영원히 지속되어도 좋은가. 나는 머리를 마구 쥐어뜯고 있는 나를 상상하고 있다. 견딜 수 없는 고통이 느껴진다. 고개를 젓는다. 내가 지금까지 생각하고 느껴온 죽음은 몇 차례의 변모를 거쳐 두려움은 사라지고, 아주 단순한 것으로 바뀌었다. 죽음은 삶이 아닐 뿐이다. 그리고 절대적인 평등이다. 사람에게 죽음이 없다면 가난한 사람은 아주 오랫동안 가난하게 살 것이며, 부유한 자는 영겁의 세월 동안 부유하게 살 것이다. 그리고 힘없이 살던 사람은 늘 짓밟히며 질곡의 시간을 보낼 것이고, 권력을 누리는 자는 그것이 당연히 자신의 것인 양 누구에게도 빼앗기지 않기 위해 허무의 세월을 보낼 것이다. 태어날 때부터 왕후장상의 씨가 없다고 하지 않았던가. 아무튼 죽음이 있어 얼마나 다행인가. 죽음이라는 것이 없다면, 신을 믿는 자, 부활을 믿는 자들도 사라질 것이다.

***

부산에서 돌아오는 길은 몽롱하다. 잠이 다가오는 것일까. 잠이 오는 소리는 꼭 죽음이 오는 소리와 같다. 아무런 움직임이 없이 아련함으로 다가온다. 아니 움직임이 있을 때도 있다. 수십 마리의 말이 달려오지만 말발굽 소리는 나지 않는다. 눈썰매 소리라고나 할까.

갈 때와 달리 속도를 늦추고 돌아오기 때문일까. 120킬로미터 정도의 속도로 1시간이 넘게 달린 피로감이 80킬로미터의 속도로 달리는 지금 다가오는 것일까. 함께 탄 사람은 늘 말이 없다. 그들은 자거나 밖을 보고 있다. 나만 혼자 라디오를 들으며 운전할 따름이다. 2차로에서 천천히 달리는 동안 빨간 글씨가 눈에 들어온다. 아마 나들목에서 내릴 때 내 앞에 있게 된 트럭이리라. 유독물. 단지 이 글자만이 탱크에 붙어 있다. 해골 모양의 그림이 보이지 않은 것이 이상하지만 앞 차의 운전사에게 그것을 물어볼 수는 없다. 마루치 아라치의 파란 해골 13호는 왜 없는가요.

독극물이라니, 내게는 농약만이 떠오른다. 농작물의 병충해를 막기 위해 개발되었지만 많은 농민들이 마시고 죽은 농약. 꼭 저 안에 농약이 있고 머지않아 내가 그것을 마시고 죽을 것 같은 생각이 든다. 그런데 이런 생각은 현실에 와 닿지 않는다. 현실에 닿으려면 좀 더 팔이 길어져야 한다. 현실과 꿈의 차이란 것도 이런 것이 아닐까. 내 생각은 현실에 닿아 있는가 하면 금세 꿈에 가 닿아 있다. 이 사이를 오가며 삶이 지속되는 것이 아닐까. 그러니 현실만을 직시하는 것은 꿈을 버리라는 말과 같다. 꿈을 버리면 현실도 죽을 텐데. 이런 생각이 또 뒤섞인다. 눈앞이 흐릿하고 몽롱한 상태에서 잠의 말발굽 소리가 들린다.

요즘 들어 잠이 모자라는 것은 아니다. 저녁 10시에 잠자리에 누워도 되지만 9시가 되기 전에 굳이 이불을 펴고 자리에 눕는다. 어제저녁에도 큰아이 숙제를 잠시 봐주고 9시 뉴스를 보았다. 한국 기자들은 미국 관리들이 제공한 내용을 그대로 방송으로 내보낸다. 그래서 우리는 미국의 눈으로 세계를 보게 된다. 그게 뭐 어쨌다는 거야. 알자지라를 믿으란 말인가. …거슬러 올라간다. 나는 왜 이런 생각을 하나. 비자금 수사는 아니고, 아! 후세인 체포 보도 때문이었다. 아무튼 나는 얼마 지나지 않아 잠 속으로 빠져들었다. 꿈에는 어린 시절이 있고 고향 집과 친구들, 놓아두고 온 유년 시절이 있었다. …그렇게 내리 잠을 자고 나왔음에도 불구하고 여전히 잠이 쏟아진다. 직업병인가. 많은 화물차

운전자가 졸음운전으로 목숨을 잃는다. 너는 이제 죽을 수도 있어. 꿈이 아니야. 현실이야. 나도 그중 하나가 되려나 보나 싶었을 때 경부고속도로에서 내렸다.

교차로에서 잠시 눈을 감은 채로 있었다. 잠에서 깨어나지 않는 법은 없을까. 아마 죽음일까. 아직 나는 죽음에 가까이 있지 않은 것일까. 너는 삶을 말하지 않고 왜 죽음을 자꾸 말하는가. 너의 삶의 태도는 이 지상에 맞지 않는다. 너는 이 세상을 사랑하는 사람들에게 지탄을 받을 것이다. 어쩌겠는가. 너의 태도는 자살자처럼 결코 환영받지 못할 것이다. 산 자들은 한사코 죽음으로 가까이 가려 하지 않는다. 아니 그러한가.

신호가 바뀌자 액셀러레이터를 밟았다. 오르막을 오르는 동안 1차로의 차들이 모조리 우측 방향지시등을 켜고 있다. 공사 때문이다. 중앙분리대를 만드는 작업이 한창이다. 한숨이 나온다. 수많은 사람이 거리를 헤매고 스스로 목숨을 끊고 있는 지금 지방정부가 벌이는 짓이란, 그저 남은 예산을 쓰는 일이다. 요즘은 신 노숙자도 출현했다. 대부분이 실직과 카드 연체로 거리에 나선 사람들이다. 그래서일까. 고급차, 외제차가 예사롭게 보이지 않는다. 액수로 환산해 보면 몇천만 원을 호가하는 차들. 나는 아이 때처럼, 그 돈이면 호떡이 몇 장인가, 라면이 몇 박스인가 계산해 본다. 호떡은 지구 둘레를 돌고, 라면은 에베레스트만큼 쌓인다. 이들은 가난한 이웃들과 자신의 부를 나눌 생각이 없는 것일까. 부자가 되려면 남을 믿지 말라고 배웠기 때문일까. 하긴 복권을 사면 가장 친한 사람부터 버린다더니. 고약한 벌이군.

자본주의 경제는 사람들이 필요로 하는 물건을 만드는 것만이 아니라 사람들 생활 수준별로 물건을 만들어 판다. 자본주의, 이렇게 말하면 내가 꼭 빨갱이 같다. 누가 내게 이런 검열을 집어넣어 주었는가. …자본주의가 물건을 만들어 끊임없이 팔고 소비하는 과정일진대 소비자가 모두 죽는다면 어떤 일이 벌어질까. 물건이 창고에 그득하게 쌓이는 세계공황이 오리라.

얼마 전까지만 해도 사람들은 카드까지 써가며 물건을 사들였지만 카드가 막힌 현재 어쩔 줄 모르고 위험한 길에 서 있다. 아니, 다른 사람들 얘기가 아니다. 내 얘기다. 내가 어떻게 이런 말을 입 밖에 낼 수 있겠는가.

빚내서 소비하세요. 빚내서 집 사세요. 이런 말들을 직접적으로 유포하지 않지만 부자 되세요, 라는 말은 수시로 방송에서 흘러나온다.

***

담배를 한 대 피운 후 사무실에 들어섰다.

"다녀왔습니다!"

과장과 대리에게 인사한 후 지부장실 문을 연다. 얼굴이 동그란 육십 대 남자가 자리에서 내 인사를 받는다. 나는 문을 닫고 뒤돌아선다.

곧 부산에서 가져온 서류들을 정리하기 시작했다. 그 와중에 후임자가 오면 해야 할 일과 주의해야 할 사항을 글로 적는다. 6개월 후에 내가 이곳을 그만두게 됨과 동시에 빈 공간을 메울 그 누군가에게 해줄 말이다. 아직도 많이 남았다 싶을 수도 있지만 그 전에 그만둘 수도 있지 않은가. 그리고 급하게 생각하면 생각이 나지 않는다. 생각이 날 때 해두는 것이 좋다. 해줄 말은 많지만 업무에 관한 것을 주로 적는다.

6시에 일어나야 할 거야. 사무실 주차장에 7시 20분까지 도착해야 하니까. 그런 다음 차를 몰고 당번 은행으로 가는 거지. 늘 은행직원들이 제시간에 기다리고 있는 것은 아니야. 당사자가 조금 늦게 나올 때도 있고 금고 열쇠를 가진 사람이 늦게 나오기도 해. 그럴 때 우리가 취할 수 있는 것은 아무것도 없어. 제발 일찍 좀 나와요. 누군 잠이 없어요? 단호하게 말하고 싶어도 참아야 해. 사실 우리 사무실은 은행에서 출자한 돈으로 운영되고 있어. …맞아, 우린 갑이 아니거든. 그래서 내가 좀 더 일찍 출발해서 은행 앞에 기다리는 방식으로 일을 해야 한다고 말하는 거지. 간접적으로만 가할 수 있는 압박을 가하는 거지.…비정규직이고, 우리 인생은 비정규직이야, 아무리 길어도 2년 이내에는 그만두어야 하는 파견직이니까 이곳에 오래 있는 것이 소모적이라고 생각될 수도 있어. 하지만 요즘처럼 일자리가 없으면 하는 수 없는 거야. 이곳저곳 골라 먹을 처지가 아니니까. 아, 그래 새로운 법안이 국회에 상정되었다니까 2년이라는 근로자 파견 기간이 폐지될지도 모르겠어. 하지만, 하지만 말이야. 아니야, 그 말은 하지 않는 게 낫겠어.

그때 핸드폰 벨 소리가 났다. S 카드사다. 그래, 이번에도 받지 않으면 불이익을 받게 될지도 몰라. 나는 핸드폰을 손에 든 채 화장실로 향한다. 사실 그들 말대로 카드사가 내게 해악을 끼치기만 하는 존재는 아니다. 정해진 기간 안에 내가 입금하지 못했기 때문에 관계가 악화되었을 따름이다. 경기가 좋을 때야, 일이 잘 굴러가고, 좋은 직장에 다닐 때야 그들과 관계가 나빠질 리 없다. 친구나 가족도 그렇지 않은가 말이다.

그들은 다니던 은행이 합병되어 청원경찰을 그만둔 이후부터 1년이 넘는 기간 동안 생활비를 빌려주었다. 묻지도 따지지도 않았다. 사채이자인 2부보다 비쌌지만 하는 수 없었다. 일단 재래식으로 누군가에게 돈을 빌릴라치면 내가 실업자임을 알려야 했고, 곤궁한 처한 자의 비굴한 표정을 지어야 했다. 그러나 그렇게 한다고 해도 돈을 빌릴 수 있는 것은 아니었다. 가까운 혈육도 이런 사정을 들으면 돌부처처럼 외면해 버렸다. 누군가는 물을지도 모른다. 해고를 당했으면 퇴직금이나 위로금 같은 것은 좀 챙겼지 않았느냐고? 그러면 나는 무어라고 말해야 하는가. 나는 정규직원이 아니었고, 소속된 용역회사는 일시에 터진 퇴직금 지급을 피하기 위해 어디론가 도피해 버렸다, 고 구구절절 말해야 한다.

"오늘 내로 입금하실 수 있죠?"

내 의사가 중요하거나 내 처지를 감안해서, 진심을 담아 하는 말은 결코 아니다. 그들도 그걸 알고 있다. 그들과 나는 이런 비인간적 관계에서 벗어날 수 없는 것이다. 아니, 이게 오랫동안 이어져 내려온 인간적인 관계이다.

"아닙니다. 지금 돈이 없어서요."

"그럼, 언제 입금이 되지요?"

그녀가 요구하는 것은 정확한 날짜이고, 그 외의 어떤 말도 고려의 대상이 되지 않았다. 비겁한 변명일 뿐이었다. 그녀도 그것이 무리라는 것은 안다. 하지만 그녀는 쪼다 보면 사람들이 별짓을 다하여 갚는 것을 보았을 것이다. 그것이 옳은 일인지 나쁜 일인지는 가리지 않을 것이다. 갑자기 하늘에서 돈이 뚝 떨어지는 상상을 한다. 복권이 당첨되는 사람들이 있기는 하다. 복권이 당첨된다면 당장이라도 이 상황에서 벗어날 수 있을 것이다.

"아직 확실하게 말씀드릴 수 없습니다. 집을 내놓았는데 팔리기를 기다리고 있습니다."

이렇게 예의 있게 말함으로써 허가 낸 사채업자의 고용인 태도가 누그러질 수 있다고 나는 잠시 믿어본다. 내 딴에는 성의를 다하고 있다는 생각과 함께 돈 빌린 놈이 버르장머리 없이 굴면 안 된다는 생각이 든다.

"우리가 언제까지 기다릴 수는 없거든요."

그래, 그렇겠지. 하지만 있는 것을 없다고 말하는 것은 아닙니다, 라는 말이 목구멍에서 가르랑거린다. 지금 이 순간 말 한마디로 천 냥 빚을 갚는다는 속담에 해당하는 말은 어떤 말일까? 이런 일은 여간해서 일어나지 않는다. 아니

지구가 잠시 궤도 운행을 멈춘다고 해도. 응, 그래. 절대적 진리라는 게 있을 리가 없어. 지구를 떠도는 반편의 진리는 있어도. 그런데 이 말이 왜 사람의 마음을 흔들어 놓을까. 세 치 혀를 잘 놀림으로써 어려운 상황을 벗어날 수 있다고 내게 가르쳐 준 자는 누구인가.

"정 안되면 신용 회복이라도 신청해 볼 생각입니다."

"뭐라구요?"

그녀의 말에 나는 더 힘을 주어 신용 회복지원이라고 외쳤다. 그러나 이 말이 큰 실수임을 아는 데는 몇 초가 지나지 않아서였다. 그녀는 가소롭다는 듯 내 말을 받았다.

"흥, 그게 신청한다고 다 되는 거 아니거든요."

"그래요?"

어리석은 나는 순간적으로 착각했다. 신용위원회에 신청을 하면 카드사 빚을 갚을 수 있다고 여긴 것이다. 그래서 그녀에게도 좋은 일이라고 착각한 것이다. 가만 생각해 보니 거기에 신청하면 카드사로서도 좋을 게 없는 것이었다. 나는 바보가 아닌가. 어떻게 이런 착각을 할까.

"오늘 4시까지 입금 안 하면 은행 연합회에 2개월 치 연체로 통보가 들어갑니다. 그리고 그다음에 추심이 들어가고요. 아는 사람한테 빌려 보세요."

나는 마지못해 아니, 그녀와 더 이상 대화가 필요가 없을 것 같아 말했다.

"네."

그 말에 겨우 저쪽에서 전화가 끊어졌다. 내 눈앞에 있던 그녀가 사라진 느낌이 들었다. 그녀가 미워지며 죽이고 싶은 생각이 든다. 하지만 한낱 돈 때문에 칼을 들이댈 수야 없지 않은가.

담배를 피워 물고 한동안 멍한 상태에 놓였다. 이래서 사람들이 자식 둘을 껴안고 고층 아파트에서 떨어지는 거야. 창문 틈으로 전면의 아파트 창문이 보인다. 문득 이런 생각이 든다. 지금 이 순간 국가는 무엇을 하고 있는가. 국가는 나를 위해 있는가, 아니면 국가를 위해서만 내가 있는가. 나는 정부가 최소한이 되어야 한다고 말하던 무정부주의자는 아니지만 화가 치밀어 오른다.

***

오전에는 그래도 활기가 있어 보였는데 아내는 축 처져 있다.

“내놓은 아파트가 나가기만 하면 될 것 같은데.”

아내의 말에 나는 그나마 낙천적으로 유도한다.

“조금만 기다려 보면 나갈 거야.”

“……마음이 심란해 죽겠어.”

사실 내가 위로를 받고 싶어 전화했는데 아내도 그럴 여유가 없다.

“일은 언제 나가?”

말을 끝내기도 전에 전화는 끊어졌다. 아내도 내게 기대했던 것을 얻지 못한 것이 틀림없다. 무언가 좀 더 다른, 그러니까 이 상황이 역전될 만한 놀라운 일, 아내는 그걸 원했을 것이다. 그렇지만 나는 아무것도 줄 수 없다. 혹 아내가 좋지 않은 생각을 하는 것은 아닐까, 불길한 생각이 든다. 이 생각이 사무실 문을 통과해 의자에 앉은 직원들을 보자 두려움으로 서서히 바뀐다. 행여 이들 중 누군가가 연체 사실을 알게 된다면… 아마 이곳을 그만두어야 할 거야. 매일 내가 은행직원과 함께 부산거래소로 가지고 가는 것은 몇천, 몇억의 어음들이니까. 궁박한 처지에 떨어진 나는 믿을 수 없는 인간이 될 거야. 신용의 증발과 함께 내 안에 더불어 살고 있는 짐승의 욕심이 언제 머리를 들지 모르지. 그건 나도 모르지.

'미안한 말이지만, 이젠 이곳을 그만두었으면 하네.'

그 말을 하는 자는 누구일까. 지부장일 거야. 고개를 떨군 채 이 말을 듣는 자는 나이고. 부르르 경련을 떠는 내 얼굴이 보인다. 지금껏 나는 한 번도 좋은 역을 해보지 못했을 것이다. 수없이 많은 주의를 듣고 야단을 맞았을 것이고, 거기에 대고 무어라 할 말이라고는 해본 적 없을 것이다. 아이의 손을 피해 움츠러들기만 하는 민달팽이 모습이 보인다. 한참 만에야 민달팽이가 고개를 들고 혼잣말한다. 나도 주위 사람들이나 친구들에게 뭔가 멋지게 보이고 싶을 때가 있기는 있지. 그러나 나는 누군가를 혼내거나 나무라는 위치 가까이 가 본 적이 없어. 그런 사람 옆에 당당히 서 있던 적도 없고. 나는 뭔가 이상한 구석이 있어. 불온한 씨앗을 품고 있었을까. 다른 사람들에게는 보이지만 나에게는 보이지 않는 씨앗. 그런 내가 가까이 가면 사람들은 싫었을 거야. 내색은 하지 않았지만. 걸까.

아직 직원들이 눈치챈 것 같지는 않다. 답답해진 가슴이 겨우 들썩이며 숨이 쉬어진다. 나는 몇 번 숨쉬기 운동을 하고 자리에 가서 앉는다. 계약 기간은 2년인데 벌써 1년 6개월이 지났다. 하긴 얼마 남지도 않았는데 두려울 건 뭔가. 내가 아무리 잘한다고 한들 이들은 나를 이곳에서 더 일하게 해주지 않는다. 한동안 노동자의 권리가 올라갔었다. 많은 노동자의 투쟁이 낳은 결과였다. 그러나 아이엠에프가 오면서 노동자의 권리는 퇴보를 시작했다. 하나둘 수당이 사라지고, 정년 때까지 일하던 풍토가 사라지고, 정규직이 비정규직으로 바뀌었다. 그나마 남은 정규직들은 자신들의 자리를 지키기 위해 비정규직을 모른 체하고.

다시 밤이 왔다. 나는 서랍을 당겨 무정부주의자 크로포트킨의 자서전을 꺼냈다. 그는 명문 귀족 출신이었지만 지리학을 연구하고 사회주의 아나키즘 운동에 투신했던 혁명가였다. 그와 같은 아나키스트들은 '혁명이 기존의 권력을 해체하면 모두가 인간이 본래 가지고 있는 본성에 의해 조화로운 자연 상태로 복귀한다고 보았다.' 일체의 권력을 부정했고, 사상의 통일을 거부했다. 그는 아마 인간 본성을 아주 대단한 것으로 보았나 보다. 하긴 인간 본성에 불성이 있다면 그건 가능할지 모르지.

나는 국가의 폐지를 바라는 자이다. 국가는 도덕과 문명이라는 구실 아래 인간을 노예화하고, 억압하고, 착취하며 약탈한다.… 나는 재산의 개인 상속도 폐지할 것을 주장한다. 이런 바쿠닌의 말은 루소의 사회계약설을 공격하고 있었다. 사회계약설은 역사적으로 거짓말이며, 인간에 의한 인간의 억압을 합리화하는 것이다.

그러다가 노트를 한 권 꺼냈다. 내가 쓴 단편소설이다. <산타를 만난 도둑>이라는 제목이다.

…그런데 이런 태도가 큰 문제로 대두된 적은 없었어. 부모님은 그 당시 대부분 부모처럼 아이란 제 먹을 것을 가지고 태어나며, 낳아 놓기만 하면 저절로 자란다고 믿고 있었으니까. 아침에 일어나 가축에게 먹이를 주듯 자식에게도 그랬지. 하지만 알고 보면 그렇지도 않았어. 그들은 자신들의 무관심을 은폐하기 위해 끊임없이 잔소리를 해대고 사소한 잘못에도 벌을 가함으로써 규칙적으로 몸을 움직이고 고정적으로 사고하는 동물로 만들려고 했거든. 차라리 그냥 내버려 두었더라면 좋았을 것을. 그랬다면 자식은 자신의 눈으로 쉽게 세상을 보았을 것이고, 어느 때 부모의 모습이 진짜인지 헛갈리지 않고 알 수 있었으니까.

이런 그가 그리고 있던 부모는 어떤 모습일까. 나중에 그가 결혼해서, 부모들이 곧잘 하는 말처럼, 자신이 부모가 된 후에 아내에게 한 말을 생각해 보면 자식에게 요구사항이 많은 것은 아니었어. 글쎄, 그는 이렇게 말했다는 거야. 부모란 아이들을 조용히 지켜보고 있다가 원하는 대로 해주어야 한다고 말이지. — 그는 이 부분을 줄로 그었다가 다시 살려 놓았다.

아무튼 그는 어머니에게 응석 한 번 부려본 적이 없었어. 그가 내성적이었기 때문이기도 하지만 어머니 쪽이 늘 준비가 되어있지 않았거든. 어머니는 늘 농사일로 바빴고, 말없이 무능한 남편을 꼬드겨 술을 마시지 않고 일을 하도록 해야 했으니까. 그러니 자식에게까지 건너올 사랑이 없었다고 봐야 하나. 그렇지만 그것은 핑계에 지나지 않을 수도 있어. 왜냐하면 어머니가 어린 그에게 했던 얘기들이 산더미처럼 많았거든. 그러니까 어머니는 자식에게 얼마든지 자신의 마음을 털어놓을 수도 있었고, 무슨 일이 있어도 네 뒤에 에미가 있다는 애정을 확인시켜 줄 수도 있었어. 그런데 그녀는 그렇게 하지 않았어. 단 한 번도. 그녀는 자신이 겪었던 시집살이의 고통에 대한 넋두리, 시댁 식구와 이웃에 대한 험담만 했어.

그게 무슨 잘못이라는 것은 아니야. 한국에서는 딸이 결혼해서 시댁에 들어가기 전에 이런 당부를 하거든. 얘야, 시집에 들어가서 살면, 무슨 말을 들어도 못 들은 척 귀머거리 3년, 무엇을 보아도 못 본 것처럼 3년, 어떤 일을 알아도 함부로 말하지 말라고 벙어리 3년으로 살아야 한다고 말이지. 이런 말을 생각해 볼 때 그가 어머니를 이해할 수 없는 것은 아니었어. 시집살이를 시작하는 며느리는 일단 그 집의 가장 낮은 계급이 되는 거야. 군대로 치면 열외도 없는 이등병 막내라고 할 수 있지. 어린 시동생의 시중까지 도맡아야 했으니까. 호칭도 그래. 남편의 동생을 도련님으로 불렀는데 결혼하면 서방님이라고 불러야 했어. 여동생은 아가씨라고 불러야 하고 말이야. 얼마나 시어머니를 비롯한 시댁 식구들에게 무참히 짓밟혔으면 그럴까 싶었지. 아마 대부분의 며느리는, 그때까지 배운 지식을 모조리 세팅해야 하는 신병과 다를 바 없었을 거야. 자신이 사람인지 짐승인지 의심해야 할 정도의 극한상황까지 갔을 것이고. 아무리 좋은 감정 교육을 받았다고 해도 마찬가지였을 거야. 행운으로 좋은 시댁에 들어가 살았다면 모를까.

단지 그녀의 잘못이 있었다면 이야기를 듣는 상대가 어른이 아니라 아이였다는 것. 그리고 자신이 품게 된 한이 너무 커서, 달리 말하면 자기를 지나치게 애처롭게 보아서, 다른 사람의 말을 들어줄 여유가 없는 처지였다는 것일 거야. 그래서였을까. 그녀의 이야기를 듣고 있노라면 시댁 사람뿐 아니라 주위 사람들은 모두 몹쓸 사람이 되었어. 다른 장점을 가지고 있음에도 굳이 그것을 말하지 않았으니까. …그는 세상의 모든 아이가 그런 것처럼 어머니의 얘기가 모두 옳은 줄 알았어. 어머니가 이 세상에서 가장 훌륭한 사람인 줄 알았지. 그러나 어머니의 마음에는 사랑이나 자비 대신에 왜 그런 미움이 들어앉게 되었나요, 라고 한 번도 묻지 않았어. 또 왜 어머니에게는 좋은 친구가 있어 이런 얘기를 들어주지 않나요, 라고 캐묻지 못했어. 그가 하는 역할은 늘 정해져 있었어. 어머니의 얘기를 듣고 즐거워하거나 존경스러운 눈길로 바라보는 것이었어. 그녀도 바라는 것도 자식의 이런 태도였을 거야. 그것도 아주 많이 말이야.

그러다 보니, 그는 하고 싶은 말이 있어도 어머니에게 할 기회가 없었어. 그는 입이 있었지만 늘 귀에 신경이 가게끔 하고 있었으니까.

"그래, 무슨 일이 있구나. 엄마한테 얘기해 줄래?"

이런 말들을 훗날 그는 오로지 텔레비전이나 영화 속에서 보았어.

"괜찮다니까. 엄마한테 이야기해 봐. 다 들어줄 테니까."

이런 말들은 그가 어머니에게 간절하게 듣고 싶었던 말이었어. 그렇지만 한 번도 이런 상황은 연출되지 않았어. 당연히 그가 입 속에서 뱅글뱅글 굴렸던 말들은 한 번도 입 밖으로 나올 수 없었지. 그것은 어디로 갔을까. 받아들여진 적이 없는 그의 말들. 그것은 허공으로 흩어지는 대신 가슴 밑바닥에 차곡차곡 쌓였을 거야. 단지 아이와 어머니만이 몰랐을 뿐이지.

어머니가 그에게 해준 것은 어떤 것이었을까. 아예 말이 없었다는 것은 아니니까. 그의 언어와 상관도 없는, 오로지 그녀의 기준에만 합당한 것들이었어. 일찍 일어나라. 시키는 대로 해라. 선생님 말씀 잘 들어라, 좋은 일 한다고 공부해라. 지금도 아이들이 부모에게 숱하게 듣는 알맹이 없는 이 말들. 물론 이 말들이 필요 없다는 것은 아니지만 바보가 아닌 다음에야 자식들은 그 말들이 언제 어느 때 나올 줄 알고 있는 거야. 이미 잘못을 알고 있는 학생은 나무랄 필요가 조금도 없는 것처럼.

어머니가 사악했다는 것은 아니야. 아이가 착한 것처럼 어머니도 착했다고 할 수 있어. 그녀는 자신이 아니라 누군가에게 사랑을 쏟는 것을 몰랐지만, 다른 사람들이 하는 것을 배워 따라 하기는 했지만, 자신의 의무를 게을리한 적이 없었어. 남편이나 아이들의 옷이 더러워 게으른 여자라는 이웃의 눈총을 받지도 않았고, 사소한 일로 이웃과 싸우며 욕을 퍼붓거나 하는 일도 없었을 뿐 아니라 남의 밭에서 고추나 깻잎을 따온 적도 없었어.

그녀는 한 가지만 뺀다면 착하고 의무감이 강한 여자였어. 그렇지만 그녀는 육십 년이 넘도록 그것을 알지 못했어. 알려주는 사람이 일단 없었고, 설혹 자신의 의식 속으로 그런 것이 들어올라치면 그녀는 소스라치게 놀라 자신을 방어해 버렸으니까. 난 한 번도 도리를 어긴 적도 없고, 할 일을 미룬 적도 없어. 그러니 내 속 어느 한구석에 불순한 것이 들어앉아 있다고 말하는 자가 있다면 그것을 까 보여 그 인간에게 낱낱이 보여줄 거야, 라고 말이지.

그녀는 아마 죽는 날까지 그것을 모르고 살 거야. 그래, 그러는 것이 좋을 거야. 그렇게 된다면 그건 그녀에게도 불행한 일이 아닐 수 없어. 사실 이런 사람들이 자신의 악한 면을 알게 된다면 그것처럼 불행한 일은 없을 거야. 그렇게 되면 자신을 고통 속으로 몰아넣거나 급기야는 죽음을 택하게 될지도 몰라.

아무튼 착한 아들은 어머니의 요구를 수용하려 했어. 어린 그의 눈에 어머니는 누구보다도 훌륭해 보였고, 어머니

보다 나은 사람도 없어 보이기도 했을 테니까. — 다른 사람을 깎아 내림으로서 자신의 존재를 고귀하게 만드는 것은 옳지 않다고 하는 것을 안 것도 훨씬 나중의 일이야. 그때 그는 이렇게 중얼거렸어. 그때는 왜 몰랐을까? 하지만 그로서는 어쩔 수 없었을 거야. 그는 피와 살을 가졌고, 지나간 뒤에야 그것을 깨닫는 평범한 인간에 불과하니까.

사람이란 모름지기 다른 사람의 눈을 의식하며 살아야 한다. 기분 나쁜 일이 있거나 슬픈 일이 있어도 사람들 앞에서는 그것을 표현해서는 안 되는 거야. 그러면 사람들은 널 업신여기게 될 거야. 당당하게 웃으면서 살아야지. 아무렇지도 않은 척. 어머니는 늘 그렇게 말했어. 그런데 그는 어머니의 말을 간혹 실천했지만 더 자주 그것을 잊어버렸어. 그는 사람들이 쉽게 자기 행동을 합리화할 때의 불완전한 인간이었고, 또 어렸으니까. 그래서 그는 자신도 모르게, 어느 순간부터 어머니가 직접 금지하거나 그랬으리라 여겨지는 일들을 하고 있었어. 어머니가 꼭꼭 숨겨둔 장롱 속의 과자를 꺼내먹고, 마을의 어린아이를 때렸고, 화장실이 아닌 음침한 곳에서 볼일을 보았어. 그것이 어떤 쾌감을 가져왔는지는 말하기 어렵지만 굉장한 것이었어. 그런데 기억에 오래 머문 적이 없었어. 곧 기억에서 지워졌어. 그러니 이런 자기 모습을 전혀 의식하지 못한 게 당연했을 거야. 그러다가 어느 날 불쑥불쑥 그것들이 방문하면서 눈치를 채게 되었을 거야.

그렇다고 그런 행동이 자제된 것은 아니었어. 썰매를 타다가 옷이 젖으면 그는 어머니 몰래 마루 구석에 보이지 않게 끼워 놓았어. 그리고 어머니 기척 소리만 들리면 책을 들고 공부하는 체했거든. 어머니의 잔소리가 두려웠을까. 물론 그랬겠지. 그는 여전히 착한 아이로 남고 싶었을 거야. 지금도 마음만 먹으면 그런 아이들을 쉽게 찾아볼 수 있으니까.

그가 도둑이 되기로 작정한 것은 아닐 거야. 나는 도둑이 될 것이다, 라고 장래 희망을 말하는 아이들은 없으니까. 그때까지 그런 것처럼 그는 무엇인가를 훔치고 또 훔치는 사이 그런 자신을 발견하게 되었을 뿐일 거야.

처음에는 연필과 사인펜을 훔쳤을 거야. 그다음엔 동화책, 만년필, 참고서 같은 것. 그리고 점차 커져 갔겠지. 도중에 누군가에게서 바늘 도둑이 소도둑 된다는 경고를 듣기도 했을 테지만 소용이 없었어. 그는 자신이 그런 일을 하는지 여전히 몰랐거든. 사실 그가 외갓집 조롱박을 훔칠 때만 해도 큰 문제가 될 염려는 없었어. 아이들이 누구나 거치는 과정이고, 그런 버릇은 자라면서 쉽게 사라져 버리니까. 그러나 그는 그러지 못했어. 훔치는 물건은 갈수록 커져 갔고, 숨을 죽이고 물건을 훔칠 때마다 짜릿한 쾌감을 느꼈으니까. 그런데 이상한 일은, 그가 무엇인가를 훔칠 때마다 사소한 일에서 실패를 보게끔 되어 있었던 그의 운명에 어떤 서광 같은 것이 비쳤어. 그래서 그는 희열에 차 중얼거렸어.

'그래, 무언가를 훔칠 때마다 좋은 일이 일어났어. 한 번은 학교에서 좋은 성적을 올렸고, 다음에는 선생님으로부터 뜻하지 않게 선물을 받았지. 앞으로는 공부도 잘되고, 좋은 일도 거듭 생길 거야.'

어느 해 여름, 그는 많은 일을 겪었어. 강렬한 조명처럼 햇빛이 사람들의 눈을 찌르고, 그늘이란 그늘을 모조리 빼앗아버렸던 그 여름. 그는 많은 돈을 훔쳤고, 드디어 가출을 결심했어. 경찰에게 붙잡혀 다시 돌아오기는 했지만. 나중에 보아도 그의 삶에 치욕스러운 여름이었고, 어떻게 잊으려고 발버둥 쳐도 잊을 수 없는 상처가 되어 버렸어. 그 이후로 그는 사람들에게 불량 학생으로 낙인찍혔거든. 오랜 시간 마치 음지식물처럼 햇빛이 있는 곳으로 나오지 않고 축축하고 어두운 곳에 움츠려 있었거든.

사람들이 생각하기에 어떤 일이고 미리 작정하고 시도하

는 것처럼 보이지만, 사실은 그렇지 않은 경우가 더 많지. 사람은 이성적인 동물이라고 곧잘 말해지지만 그것은 이성은 사람에게 있어 아주 일부분에 불과해. 지구가 코스모스의 먼지에 불과한 것처럼. 그가 면 소재지 농협 안으로 들어갔을 때만 해도 아주 평온한 상태였어. 뜻밖의 상황 같은 것은 전혀 생각지 않았지. 그때 아마 그는 노트 한 권을 사기 위해 작은 연쇄점에 들렀을 거야. 하지만 판매대가 비어 있는 것을 보고 마음이 요동치는 것을 느꼈겠지.

그다음 그는 자신에게 행운을 가져다줄 수 있는 쪽의 행동을 택했어. 한참 동안 도덕적인 갈등을 겪는 대신에 말이지. 그는 안을 휘둘러 본 후 오랫동안 욕망의 대상이 되어 왔던 운동화를 집어 들었어. 갈색 가죽에 하얀 끈이 달린 축구화. 그것을 들고 서둘러 나오려다 하필 그의 눈에 금고가 눈에 띄었어. 평소와 달리 닫혀 있지 않고 약간 밖으로 튀어나와 있었거든. 그 사이로 몇 개의 지폐가 보였고.

순간 그가 어떤 미소를 지었을까. 티 없이 맑은 미소는 아니었을 거야. 그렇다고 다른 도둑들이 그러는 것처럼 판매원에게 감사를 표시하지도 않았고. 그는 밖을 한 번 본 후 손가락으로 지폐를 집어냈어. 그 순간 그는 자기 손이 떨리고 있는 것을 알았고, 이것이 바로 삶의 약동이 아닐까 생각했어. 또 이 순간은 되돌릴 수 없으며 그가 바라는 행운이라는 것도 찾아오리라 생각했어.

'좋아, 이제부터 지금까지와는 다른 좋은 일이 생길 거야.'

그가 중얼거린 말이 있었다면 이 정도일 거야. 그 길로 그는 자전거를 타고 집으로 돌아왔어. 이건 완전범죄야. 그는 이런 생각은 해본 적이 없어. 앞에서 말한 것처럼 그는 자신이 범죄자라는 인식은 없었어. 그는 자신이 해야 할 일을 했어. 언젠가 범죄소설, 탐정소설에서 읽은 대로 누구에게도 그 사실을 발설하지 않았음은 물론 운동화와 돈도 아주 잘 숨겨 놓았어. 아주 우연한 기회에도 누구에게 들켜서는 안 되는 일이었으니까.

가출 이후에도 그는 자신이 무언가를 '훔치는 인간'이라는 것은 알았지만 그 버릇을 개 주지는 못했어. 오랫동안 무언가를 훔치는 데 성공하거나 실패했어. 성공했을 때는 별다른 일이 없었고, 실패했을 때는 당연히 벌을 받았지. 그것이 잘못된 행동이라는 주입을 받으면서 말이지. 하지만 그는 왜 훔치는 행동이 잘못된 것인지 여전히 깨닫지 못했어. 그 버릇이 사라져 버리고 난 뒤에도 마찬가지였어. 훔치는 것 자체에는 별다른 뜻이나 죄악이 붙을 리 없지만 사회의 질서유지라는 것과 상관된다면 그럴 수 있겠다고 인정했지만. 이런 말도 했을 거야. '누가 사람에게 땅이나 집, 나무, 동물, 금덩어리를 소유할 수 있는 권리를 주었는가.

그러던 그가 그토록 행운을 부르는 일을 그만둔 것은 굳은 결심을 하고 용맹정진을 한 결과가 아니었어. 어느 날인가부터 그는 이상하리만치 자신이 도둑이었고, 훔치는 일에 행운을 걸고 있었다는 것을 아주 깜빡 잊어버렸어. 아이와 함께 외출했다가 아이를 잃어버린 줄도 모르고 혼자 집으로 돌아온 엄마처럼 말이야. 이런 때 정신과 의사라면 사춘기의 청소년이 겪는, 두뇌나 감정이 제자리를 잡는 용트림 같은 이상행동일지도 모른다고 말할지 모르지. 어쩌면 연쇄점에서 돈과 운동화를 훔치고 난 후에 일어난 가출 때문인지도 몰라. 그는 가출로 인해 그 나이 아이들로서는 생각지도 못할 것들을 맛보게 되었고, 음지에서 보내는 몇 년 동안 죽음에 대해서도 진지하게 생각하게 되었거든.

이후 그의 삶에 대해서는 별로 말할 게 없을 거야. 그는 아무런 일도 없었던 것처럼, 사회의 일원이 되어 회사에 다니고 매월 급여를 받는 것에 만족하며 살았어. 이를테면 사회가 정해 놓은 테두리 안으로 들어가서 안주했다고 할까. 한 번 고향을 떠난 이후 그는 다시는 돌아가지 않았어. 과거에 알던 돌이나 이파리 하나도 자신을 기억하고 있을 테니까.

신호등을 지키고 적금을 붓고, 새로운 친구들과 맥주를 마시는 날이 이어졌어. 그렇지만 그는 자신의 과거를 누구에게도 털어놓을 수 없었어. 사회에서 매장을 당할 수도 있다는 생각이 거듭 들었거든. 아마 그는 자신의 가슴속에만 그것들을 묻어두는 것이 신상에 좋겠다는 생각을 했을 거야.

그 사이 그는 한 여자를 만나서 결혼도 했고, 전세방에서 신혼살림도 꾸렸어. 곧 아이도 태어났고. 이런 그가 IMF를 맞지 않았더라면 얼마나 좋았을까. 그는 10년 이상 돈을 모아 집을 샀을 것이고, 아이들이 자라는 것을 즐겁고 흐뭇한 눈으로 바라보았을 거야. 간혹 윤색된 자신의 과거를 떠올리며 자신이 얼마나 대견스럽게 컸는지도 흐뭇하게 느꼈을 거야. 누구든 어느 고지에 올라서면 여유를 갖게 되고 지난 일 중에 좋은 것만 떠올릴 수도 있는 법이니까. 사람에 따라 다르지만, 그런 여유 있는 시기가 오면 신분을 세탁한 채 지어낸 과거를 풀어내며 살기도 하고, 뜻하지 않게 오만해져 자신의 가정이 아닌 다른 곳에 한눈을 팔게도 되니까.

IMF가 어땠는지 짐작할 수 없는 사람은 드물 거야. 그것은 그때까지 일어났던 각종 파동이나 오일쇼크와는 비교가 안 될 정도였으니까. 많은 사람이 실직했고, 파산한 사장은 집에서 목을 매고, 의지할 곳이 없음을 알게 된 가족은 동반자살을 택했지. 하루가 다르게 터져 나오는 부동산 경매 매물들.

처음 실직했을 때만 해도 그는 낙담하지 않았을 거야. 인생이나 사회는 살아있는 생물처럼 유기적이어서 고비라는 게 있기 마련이고, 내일 부도를 맞을지라도 낚싯대를 메고 외출하는 사장님처럼 낙관적인 태도로 살아가다 보면 다시 예전으로 복귀하기도 하거든. 그래서 그는 아내에게 이 사실을 말하지 않았어. 한국의 다른 남자들처럼 그에게도 알량한 자존심이 있었는지도 몰라. 가부장제에서 자란 남자들은 자신이 무너지면 가족이 무너진다고 여겼으니까 울고불고하는 아내를 볼 자신이 없었던 것인지도 모르지.

그는 IMF 때 많은 실직자가 그랬던 것처럼 아침이면 회사에 출근하는 것처럼 집을 나왔어. 그런 다음 평소 안면이 있던 철물점으로 들어갔어. 거기서 그는 등산복으로 갈아입고 가까운 산을 향해 걸어갔어. 그곳이 설악산이었는지 한라산이었는지는 몰라. 그보다 가깝고, 금방 돌아올 수 있는 낮은 산이었는지도 모르지. 그러면서 그는 차츰 자신이 움

쪼그라들고 왜소해지고 있음을 느꼈을 거야. 음지에서 보내던 시절처럼.

그러면서 그는 자신의 삶을 되돌아볼 시간을 가지게 되었어. 첫 아이가 태어났을 때 느꼈던 기쁨, 승진 공부를 하며 바라보던 도시의 야경, 아내와 나누었던 사랑의 순간들. 그런데 어느 순간 그는 어린 시절로 돌아갔고 자신이 도둑이었고 무언가를 훔쳤을 때 일이 잘되어갔다는 것을 떠올리게 된 거야. 순간 그는 미소를 지었고, 이렇게 중얼거렸어. 3일 굶고 남의 집 담을 넘지 않을 사람은 없는 거야. 이제부터 내겐 행운이 오는 거야. 복권이 없어도 내게 다가올 행운.

그 길로 그는 크리스마스트리가 늘어진 거리로 나섰고, 캐럴송이 요란한 백화점 주위에서 환한 미소를 짓는 산타들의 얼굴을 보았지. 가난하고 고통 받는 자들을 돌아보지 않는 산타의 얼굴이란 바로 저렇지 않을까 생각하면서.

그는 백화점 주위를 몇 번이나 돌고 난 후 매장으로 들어갔지만 눈에 들어오는 것들이 별로 없었어. 아니 쌀이나 술, 고기는 있었지만 너무 부피가 커서 언제든 보안요원의 눈에 띌 것 같았던 거지. 사실 그에게 중요한 것은 물건이 아니라 언젠가 그가 훔쳤던 적이 있는 화폐였어. 그러나 백화점은 물건을 훔치기는 쉬워도 지폐를 훔치기는 어려운 곳이지. 그는 아래층부터 맨 꼭대기 층까지 돌아다녔어. 손님인 척 가장을 하고 기회를 엿보았지. 그에게 기회가 왔을까. 그런 기회는 오지 않았어. 사람들은 언제부터인가 카드를 쓰고 있었어. 현금을 가지고 다닐 필요가 없었어. 그러다가 그는 자신도 모르게 화가 치밀어 올랐어. 같은 용도로 쓰이는 물건을 가격별로 만든다는 것이 화가 나기도 했지만, 이곳은 네가 있을 곳이 아니라고 떠미는, 은연중 밀려오는 압력이었지. 그는 백화점을 나왔어. 화려한 물건이 많은 휘황찬란한 건물이 자신과 상관없는 곳이라는 것을 깨달은 거지. 넓은 도로도, 광장도, 야구장도, 시계탑도 자신의 아픔이나 죽음과 관련이 없다는 것도.

그는 백화점을 나와 부잣집을 찾아 배회하기 시작했어. 그것이 대정동인지 금옥동인지는 몰라. 아마 서울이라면 무인카메라를 가로등 대신 설치한다는 강남 어느 골목이 되겠지. 그때는 무인 카메라를 도로에 다는 것은 먼 훗날의 일로만 여겨지던 때이니까. 그는 어둠 속을 배회했어. 날씨가 어느 정도로 추웠는지는 그날의 일기예보를 찾아보면 되겠지. 12월 25일이었을 거야. 한기가 들어 이가 부딪치는 소리가 딱딱 날 정도로 추운 날씨라고 씌어있지 않겠지만 동장군 운운하는 따위의 말은 있을 거야.

새벽 2시쯤이 되자 그는 일을 시작했어. 물론 그 전에 무인 경보기가 설치되어 있는 집인지 아닌지 확인하고, 불이 꺼지기를 기다렸겠지. 이제는 도둑이 아니라고 해도 사전답사라는 말을 알지. 집 앞에 서서 인기척이 있나 살핀 후에 그는 담을 기어올랐어. 유리 조각이 박힌 구식 담을 기어오르는 것은 생각보다 쉽지 않았어. 그는 자신이 입고 있던 외투로 유리를 덮고 겨우 담 위에 서게 되었어. 자, 조금만 더! 아래를 보니 쉽지 않을 것 같아 그는 한동안 망설였어. 그러다가 평소에도 그랬던 것처럼 일에 집중하지 못하고, 내가 왜 이런 짓을 하고 있는가 하는 생각이 불시에 떠올랐을 거야. 그는 자신이 섹스하는 순간에도 나는 지금 무엇을 하고 있는가 하고 자문했었으니까.

그런데 생각지도 않은 일이 일어난 거야. 갑자기 어디선가 사이렌 소리가 들려온 거지. 제기랄, 나는 어느 것 하나 제대로 되는 일이 없어. 아주 사소한 착수 단계부터 난 실패했어. 지금까지 죽 그랬어. 난 실패자야. 세상에 잘못 온 거지. 그것이 구급차인지 경찰차인지 아니면 소방차인지 몰랐지만 그는 가슴이 덜컥 내려앉는 것을 느꼈어. 자신을 잡으러 출동한 경찰이라는 비관적인 생각이 줄을 이었고, 마침내 절망의 구렁텅이로 빠져들었어. 그는 무작정 담 안쪽을 향해 뛰어내렸어. 그런데 그것이 그의 마지막이었어. 그는 아래로 떨어지면서 장독대에 머리를 찧고 말았어.

그가 어떻게 되었는지는 다음 날 신문 한 귀퉁이에 나와 있었어. 그가 바랐던 행운은 없었어. 사소한 단계부터 실패를 일삼던 그는 가장 불행한 처지로 전락해 버린 셈이지. 표제도 우스꽝스러웠어.

'가장 축복 받은 크리스마스 날, 가장 재수 없는 도둑의 죽음.'

***

지금의 상태나 기분이 내일까지 지속되지 않는 것은 얼마나 다행한 일인가. 기쁜 자는 내내 기쁠 것이고, 슬픈 자는 내내 슬플 것이다. 다음 날 아침 약간 원기를 회복했다. 잠든 아이들 얼굴을 보며 마음을 다잡았다. 천진한 이 아이들에게 어떤 일이 일어나서는 안 된다, 고 중얼거렸다. 미세한 세포에서 성장하여 손가락, 발가락 등 몸이 제 모습을 갖추었고 머리카락도 윤기 있게 빛나는 이 아이들은 분명 내 아이들이었다. 어제저녁 문방구에 가서 몇 푼 남지 않은 돈으로 학교 준비물과 스케치북을 사주었다. 마치 아이들과 마지막이 되기나 한 것처럼. 그러나 나는 이 아이들이 할머니에게 맡겨지는 것을 원하지 않았다. 오로지 일과 돈만 생각하는 할머니는 아이들을 좋아하지 않았다. 아이들을 제발 하루만 맡아달라고 했는데도 일이 있다고, 거절한 적이 있다. 아동보호소에 가거나 가정집에 맡겨지는 장면도 생각하고 싶지 않았다. 아이들이 나로 인해 사는 것이 아니라 내가 아이들로 인해 삶의 희망을 얻는다.

차의 시동이 걸리자마자 핸드브레이크를 내렸다. 나는 어떤 생각으로 이 차를 산 것일까. 어리석은 허영심에 분수에 맞지 않는 차를 사서 할부금 갚느라 고생했다. 지금이라도 팔 수 있다면 얼마나 좋을까. 그러나 아내는 차를 파는 것에 반대할 것이다. 집은 없어도 차가 있어야 하는 시대다. 이상한 시대이다. 차는 천천히 굴러가다가 마을 입구 다리에서부터 제 속력을 냈다.

어젯밤 꿈이 떠올랐다. 나는 중학생이었고 친구들 사이에 앉아 있었다. 우울한 데다가 말이 없던 내게 친구들이 있을 리 만무했다. 내가 도둑질했다는 말을 누군가가 퍼트린 후에는 이상한 동물 보듯 했다. 그런데 내게는 이상한 병이 있다는 것이 알려져 누구도 나를 가까이하지 않았다. 나는 몇 번이나 울었지만 누구도 귀담아듣지 않았다. 결국 나는 제일 뒷자리로 물러나 앉았다. 키가 작아 칠판이 보이지 않았다. 뒷자리로 간다는 것이 다른 사람의 간섭을 피해 마음껏 일을 하고 싶다는 것과 관련이 있을까. 중학교 1학년 때 기억이 났다. 아이들과 한바탕 다툰 후 제일 뒷자리에 앉았던 적이 있다. 이 기억과 관련된 꿈일까. 연관이 있었다. 나는 사진값을 훔쳤다는 말을 퍼트린 친구와 절교를 한 적이 있다. 내가 훔친 것은 돈이 아니라 매직 하나였다. 그 친구와 3년 가까이 말을 하지 않았다. 먼저 화해를 청해오기 전까지는 말이다. 그런데 왜 꿈에서는 학교를 나오게 된 것으로 나왔을까. 마치 실업자가 된 기분이 들었다. 장면이 바뀌어 비탈길을 내려오는데 전에 같이 근무했던 상사를 기다리고 있었다. 그 상사는 나의 능력을 한껏 이용했지만 여러 사람 앞에서는 무시하는 태도를 취했다. 꿈을 어떻게 해석할 수는 없었다. 단지 꿈을 꾸었을 때의 기분이 전체를 해석하는 데 용이했다.

y 은행에서 여직원을 태우고 고속도로를 향해 달렸다. 너무 이르다는 느낌도 들었지만 어쩐지 기분이 들떠 있었다. 그래, 나를 너무 억제하지 말자. 슬픔이나 기쁨을 억제하는 것은 미덕에 속할 수 있었지만 그것들 안으로 들어가 보는 것도 괜찮아 보였다. 왜냐하면 그것들 속으로 들어가면 그 감정의 근원에 대해 알 수 있을 것이고 예기치 않은 감정을 불러일으킨 상황이나 과거의 기억을 잘 처리할 수도 있지 않을까 싶어서였다. 그래, 어느 것도 나를 억압하도록 두어서는 안 될 것이야. 그 사회의 가치에 복종함으로서 길들여지는 것. 그런 뒤 그 가치를 미덕으로 숭상하는 것이야말로 지배자들의 철학이고 긍정일 것이다. 나는 이런 말들을 생각하며 니체를 떠올린다. 니체는 어떻게든 내 인생의 한쪽에 버티고 있었다. 수시로 그의 목소리가 살아 있는 것처럼 들려온다. …그들은 정신적으로 빈곤하고 허약한 지성의 소

유자들이니까. 국가주의나 가족주의, 가부장주의 같은 정치적 극우 이념은 실상 약자의 도덕일 뿐이다. 니체는 커다란 사유의 망치를 들고 낡을 것들을 무너뜨렸다. 그러나 그는 새로운 가치의 창조자이기도 했다.

내가 처음 읽은 것은 '짜라투스트라는 이렇게 말하였다'였는데 거기서 새로운 삶의 가치를 보았다. …강자는 자기 자신을 긍정하는 자이며 자신의 행동에 스스로 가치를 부여하는 자다. 약자는 자신의 가치판단을 언제나 자기 밖의 어떤 것, 가령 법 같은 낡은 것에 넘겨주는 자이다. 부정과 파괴야말로 긍정의 조건이다. 미래를 창조하려는 자는 먼저 과거를 부정하고 파괴하여야 한다. …고통이야말로 정신의 최후 해방자이며 그런 고통이 우리를 심오하게 한다. 또 상처에 의해 정신이 강해지고 힘이 회복된다.

짜라투스트라는 이렇게 말하였다. 아니 나의 천지신명, 세계 어느 곳곳에서도 살아있음을 느낄 수 있는 천지신명은 정화수를 떠 놓고 애원하는 내게 이렇게 말하였다. 어느 것도 너를 억압하도록 내버려두지 말라. 그러려면 네가 사는 사회의 가치에 복종해서 길들지 말고, 정신적으로 허약한 그런 지배자들이 하는 말들은 믿지 말거라. 정말 강한 사람은 그런 놈들이 아니다. 권세가 있고 돈이 좀 있다고 강한 것은 아니다. 정말 강한 사람은 자기를 아는 사람이고 스스로의 행동에 가치를 부여할 수 있는 사람이다. 그런 놈은 항상 법을 등에 지고 양반님네가 되어 체면을 내세우고 나이가 많다는 것을 자랑으로 삼는다. 그러므로 너처럼 미래를 만들려는 사람은 먼저 과거를 싹 부정하고 파괴해야만 해. 총을 내가 너에게 주랴. 망치를 주랴. 아니 그러기 전에 너는 고통을 좀 겪어야 해. 그런 고통이 너를 심오하게 하고 그때마다 입은 상처로 너는 강해지고 힘을 회복할 것이다. …지배 도덕이 어떤 욕망의 표현이었듯이, 진리라는 것도 어떤 힘의 표현일 뿐이다. 사람들이 진리라고 부르는 것은 하나의 맹목적인 신앙에 지나지 않는다.…진리는 진리 바깥의 어떤 힘에 의해 진리가 된다. 힘을 자기편으로 끌어들이거나 힘의 편이 되었기 때문에 진리인 것이다. …지난 수십 년 동안 우리 사회를 짓눌렀던 반공이데올로기는 스스로 아무런 진리 가치가 없다. 극우 독재 세력이 자신을 정당화하기 위해 반공주의를 끌어들였고, 그들의 힘에 의해 진리로 횡행했던 것이다.

남양산에서 잠시 속력을 늦추었다가 직선도로가 나타나자, 다시 속력을 올렸다. 하지만 언제든 정체 행렬과 맞닥뜨릴 수 있었기 때문에 금방이라도 설 수 있는 태세를 갖추었다. 오른쪽 도로에서 진입하는 차량이 수시로 끼어들어 사고가 자주 발생하는 곳이 보였다. 물금 표지판도 나타났다. 조금만 더 달리면 대동이다. 크게 하나가 되는 세상은 누가 꾸었던 세상일까. 묵자였던가. 시계를 보았다. 오전 8시 10분이다. 10분이면 넉넉했다. 그런데 채 십 미터도 달리지 못해 길게 늘어선 차량 행렬을 만났다. 또 사고가 난 건가. 아니면 일시적 현상인가. 하나 둘 셋 넷, 마음속으로 오십까지 세어 보기로 했다. 상류층에 속하고 싶은 욕심이 있는 사람은 결코 그런 세상을 꿈꾸지 않을 것이다. 군주제든 민주제든 인간의 내면에서 나오는 것이다. 묵자인가, 전북 진안의 누구인가. 생각이 나지 않는다. 뒷자리를 돌아보았다. 여직원은 아직 눈을 뜨지 않았다.

'내리자, 길은 톨게이트에서 물어보기도 하고.'

트럭들을 따라 요금소 앞에 닿았다. 톨게이트 박스 안에 앉아있는 징수원에게 말을 걸었다. 그녀도 시간제 노동자였다. 나는 파견 노동자. 노동자를 위한 노동절을 정부에서는 근로자의 날이라고 바꾸었다. 무슨 이유인지 모른다. 노가다의 날이라고 하면 되는데 말이다.

"서부산 쪽으로 가려고 해요. 양산으로 해서요."

그녀는 좌회전하라고 말해주었다. 요금소를 빠져나와 양

산으로 방향을 잡았다. 곳곳이 공사 중이고 출근시간대라 막히고 있었다. 성은 공씨고 이름은 사중이라. 혼자 웃었다. 연말이면 벌어지는 도로공사. 정부라든가 예산편성이라는 게 없다면 이런 일이 생기지 않을 것이다. 중앙집권적 피라미드 구조에 대해, 권력의 지배에 대해 바쿠닌도 말한 바가 있다. 바쿠닌이라고 하니 자꾸 바카스라고 하는 것 같다. 아니 자꾸 세상이 삐꾸하는 것 같다. 세상이 진보했다는 말은, 그러고 보면 허상을 가리키는 것이다.

이러다가 늦는 것은 아니야. 걱정이 됐지만 다시 돌아갈 수는 없었다. 어린 시절이 그립다고, 독재 시대로 돌아갈 수는 없다. 라면 먹기 시작했다고, 땅값 오르기 시작했다고 독재자를 찬양할 수도 없다. 그런데 독재자 고무 찬양하면 처벌하는 법은 왜 생기지 않는가. 어떤 노인들은 말한다. 애들이 힘든 시절을 안 겪어 고마운 줄 모른다고. 맞는 말이다. 요새 애들은 70년대에도 빵이나 라면을 먹을 수 있었다고 생각한다. 아이들은 거기서 출발한다. 그래서 독재 찬양하는 어른들을 이해하지 못한다. 남양산 나들목이 보이며 양산이 가까워져 온다. 나들목 몇백 미터 앞에서 차들이 움직이지 않는다.

다시 한번 뒤를 돌아본다. 여직원은 여전히 잠들어 있다.

무정한 애인 같은 정부, 그래 꼭 맞는 말이군, 그래. 아니, 전혀 어울리지 않는 말이야. 자꾸 쳐다보지 마. 사랑하게 되면 어쩌려고. 나도 모르게 사랑하게 될까 두려워 고개를 돌린다. 예기치 않게 누군가를 사랑하는 것은 두려운 일이다. 미워하는 것도 사랑하는 것도 두려운 일이다.

이제 정말 9시까지 도착하는 것은 불가능하다. 시간을 줄이는 수밖에 없는데. 신호등이 바뀌고 직진 차들이 달려 나간다. 우회전해서 요금소 쪽으로 핸들을 틀었다. 하지만 웬걸. 금방 차들이 몰린다. 지금껏 나는 되는 일이 없었다. 아주 사소한 것을 바랐는데도 이루어진 적이 거의 없다. 그러니 커다란 희망을 품을 수 있겠는가. 기도하는 마음으로 살지 않으면 고독감을 감당할 수 없을 것이라고 당사주에 나와 있었다. 하긴 대부분 사람은 팔자가 나쁘다고 한다. 원하는 대로 이루어지는 것이 아주 잠시뿐인 것이다. 갑자기 불안하고 초조해진다. 빚쟁이, 카드사들이 금방이라도 집 주소를 알아내고 압류 딱지를 붙일 것 같다. 그러면 내 가족은 어찌 될까? 아이들은 어디에 맡기지. 사흘 굶으면 남의 집 담을 넘는다고 했는데, 나는 어떤 인생을 살게 될까.

서부산으로 우회하시오. 대동IC 부근 사고 지체. 그때 교통방송에서 이제 막 사고 차량이 치워졌다고 말하고 있었다.

'정보가 느리군.'

불안한 가운데 요금소에 진입했다. 서둘러 정산하고 양산으로 향했다. 곧 드넓은 도로가 나타났다. 언제 수많은 차량들 속에 있었는가 싶을 정도였다. 사람들이 많이 살고 있지 않다면 차들이 많이 없을 것이고, 경쟁이 치열한 사회에 살고 있지도 않을 것이다. 지구를 망가뜨리는 일등 공신, 인간에게 조물주는 그만한 역량을 주었을까.

차량이 치워졌으니까 남양산 쪽으로는 빨리 빠질 거야. 그랬다가 안 빠지면 어쩌지. 서부산으로 갈까. 어차피 양쪽이 다 늦기는 마찬가지야. 그러니까 시간이 덜 걸리는 남양산으로 다시 들어가 보자. 이럴 때 누군가와 의견을 주고받을 수 있다면 얼마나 좋을까. 하긴 김재규 부장이 남산의 부하와 의견을 나눌 수만 있었어도 육본으로 가지 않았을 거야. 결국 계획 없이 거사를 치렀던 터라 어쩔 줄 몰랐던 거야. 한 마디로 그는 왕위찬탈자가 되고 싶은 생각은 없었어. 그랬다면 그는 중앙정보부로 돌아가 세력을 모아야 했어. 역사의 물길을 막는 자들을 쳐내고, 자신이 정상에 앉았어야 했어. 그러나 그는 한 번도 자신이 권좌에 앉는 모습을 생각해 본 적이 없어. 그러니 육본으로 가서 기대려고 한 거야. 역사적으로 권력을 탐하는 자는 다른 사람을 믿지 않아. 그러니까 누군가의 말처럼 대한민국 현대사를 모른 사람들은 정치를 논할 자격이 없는 사람이야.

나는 뒷좌석을 다시 보았다. 독립선언을 기초하고 미연방을 만들었던 사람들도 어떻게 하면 무지몽매한 시민들이 지도층에게 반항하는 것을 막을 수 있을까 고심했다고 한다. 애초부터 민초의 저항을 염두에 두고 만들었던, 가장 민주적인 국가의 헌법. 소수의 강자에게 약자가 대항하는 법은 한 가지밖에 없었다. 수적으로 우세하니까 서로 단결해서 서로를 돕는 것이다. 적어도 강자에게 세뇌당하지는 않는 것이다. 그런데 서민들이 더 보수적이라는 얘기는 또 뭐야. 이런, 나는 크로포트킨이 아니야!

그런데 남양산에 들어서자마자 나는 경악했다. 물금에서 내리기 전과 다름없는 상황이 눈앞에 펼쳐졌다. 개미에게 물린 사냥꾼처럼 나는 서둘러 남양산 나들목을 향했다. 그 이후로 어떻게 부산에 도착했는지 모른다. 그리고 왜 다시 혼잡한 구덩이 속으로 뛰어들었는지 설명해 줄 수 없다. 말할 수 있는 것은 나는 시간에 쫓기고 있었고, 기다리는 동안 반정부적 사고를 했다는 것이다. 많은 사람에게 환영받을 수 없는 그 생각. 그것은 어떻게 솟아났을까. 내가 별난 인간이기 때문에? 아니다. 이런 사고는 하루아침에 만들어지지 않았고, 이것이 집단적 무의식 가운데서 나온 것이라는 것, 이 세상은 어찌 됐든 조화를 지향하고 있다는 것으로 설명이 될까. 우리는 좀 더 나은 정부를 가질 권리가 있고 나은 정부가 불가능하다면 부패한 정부를 전복시켜야 한다. 이건 누가 한 말인가. 삼종지도나 장유유서처럼 교과서에서 배웠나.

***

카드 연체자나 신용불량자의 원금탕감이나 이자 감면에 대한 미련이 아내에게는 남아있었나 보다.

"도덕적 해이는 저놈들이 더 심해."

아내는 TV를 보는 중이었다. TV에서는 정치자금을 조달하기 위해 만남의 광장에 세워졌던 트럭을 비춰주고 있었다. 그들이 강탈해 갔던 돈이 다른 곳에 쓰였더라면. 그러고는 곳간이 비었다고 한다. 만나는 사람마다 이런 생각이었다.

순간 자기가 계산하겠다고 극구 우기는 광고 속의 한 남자가 떠올랐다. 그는 자신이 가진 것이 돈밖에 없다고 말하고 있는 듯했는데 계산은 카드로 했다. 이것도 계산해 주세요. 마지막 문구도 그랬다. 신용이 사라지면 당신도 사라진다는.

그간 나는 어느 곳에 카드를 썼는가. 믿지 않을지도 모르지만 나는 한동안 실업자였다. 대부분은 가계 부양을 위해 썼다. 가진 자들의 금융소득이 최고도로 올랐던 그때, 허리띠를 졸라매자, 금을 모아 외환위기를 극복하자고 했던 그때. 그런데 사람들이 허리띠를 졸라매었기 때문에 상황은 더 악화되었다. 모피아들 때문이었나. 아무리 큰 금융위기에도 살아난다는 대형 은행들 때문이었나. 적자재정을 편성해야 한다거나 서민의 카드 빚을 탕감하자는 말은 씨알도 먹히지 않았다. 나중에 정부가 나서서 카드를 권장하며 소비를 진작시키기 전까지 상황은 좋아지지 않았다.

어디서 보았을까. 넌 참 이상한 것도 많이 읽는구나. 그게 무슨 도움이 되겠어. 너 같은 서민이 살아가는데. 이것도 하나의 병이라면 병이다. 모리스 버만이 말한 문화가 몰락할 때 나타나는 네 가지 요인이 떠오른다. 사회적 불평등의 가속화, 사회 문제를 해결하기 위한 비용 투자에 따른 한계이익 감소, 비판적 사고와 전체적인 지적 의식의 급격한 저하와 문맹률 확산, 비판적 사고나 지적의식보다 훨씬 더 깊은 정신적 가치의 쇠퇴와 죽음. 대안이 없는 것은 아니었다. 현대의 문화 해체를 불러오는 요인은 기업주도의 소비문화다. 시장 가치나 실용주의 가치 따위가 온통 지배하는 세계로부터 벗어나야 한다.

무슨 말인지 이해하기 어려웠지만, 이 사회는 소비, 끊임없는 소비로 지탱될 수밖에 없었다. 끝없이 자원을 낭비하고, 새로운 물건을 사들이고. 모든 시민이 평등한 기회를 가지는 민주국가가 아니라 소수의 부자가 모든 것을 가져가는 과두 국가가 되어 가고 있었다. 식료품 살 돈이 없어 걱정할 정도의 빈곤층이 11%인 미국과 마찬가지로 중산층은 이미 몰락했다. 왜 나는 이제야 이것을 알게 되었는가.

***

장정일의 책이 있는 풍경을 읽는다. 에마뉘엘 토드의 제국의 몰락. 그리스 국가들이 아테네에게 했듯이 지구라는 피라미드의 최상층에 있는 미국에 세계가 바치는 조공의 내역. 짜라투스트라는 이렇게 말하였다. 아니 나의 천지신명, 세상 어느 곳에도 살아있는 천지신명은 정화수를 떠 놓고 비는 내게 이렇게 말하였다. 미국을 비난하는 놈들이 많기는 많다마는 누가 나처럼 목청 돋워 말할 수 있으랴. 미국에 조공을 바치는 네 나라를 보거라. 미국이 참전하는 각종 전쟁에 군비만 보탰냐, 목숨도 보탰제. 그러고도 미국은 6·25 때 도와준 거 갚으라고 한다. 지금도 사대를 말하는 네 나라에는 첩자들이 많니라. 미제 무기가 아니면 살 수도 없당께로. 달러가 아니면 돈으로 치지도 않는당께로. 글고 미국이 팔레스타인 문제를 누가 해결해 준다고 씨부렸냐. 그놈들은 절대로 아퀴 짓는 짓은 안 해. 분쟁이 있어야 먹고 산께노. 글고 미국은 이라크나 이란 북한 같은 나라만 상대한당께. 글고 자꾸 신무기만 개발해. 즈그가 최고 무기를 가지고 있어야 최고인 줄 알아주제.

잠시 후 화장실로 갔다. 엉거주춤 앉아 전기요금 고지서를 어떻게 처리할지 고심했다. 이건 우리가 쓴 요금이 아니야. 아래층 여자네 집 것이 분명해. 우리 집하고 같이 합산되어 나온 요금인가? 몰랐지만 그 여자에게 그걸 말하기는 곤란했다. 계량기 번호만 확인해도 알 일이 아닌가. 아니야, 그렇다고 하더라도 모른 체 하자. 20일이 되기 전에 문제를 만들면 일이 틀어질 수도 있잖아. 기분이 나쁜 그 여자가 무슨 일을 할지 모르잖아. 에이 함부로 말도 못 하겠군. 그 여자는 왜 그러지. 이렇게 사소한 것에까지 욕심을 내는지 알 수 없었다. 돈이 없지도 않을 텐데. 그래, 합산되어 나왔어도 우리 요금은 얼마 안 되니까 내지 말고 기다리자구. 안 내고 있으면 그쪽이 더 당황할 거야.

"그냥 내지 말고 있자구. 돈도 없는데."

왜 이렇게 말했는지 모른다. 무심코 툭 던져진 말. 내 생각을 표현한다는 것이 엉뚱하게 흘러나왔다. 앞뒤 전후 사정을 좀 더 차근히 말해야 했나. 아내의 반응이 나오기까지도 그것을 몰랐다.

"아니, 지금 그런 말 할 거야. 겨우 참고 있는데, 서글프게."

아차, 싶었다. 왜 이렇게 입은 내 환경을 반영하지 못하는가. 화가 난 아내는 커피를 들고 방으로 들어가 버렸다.

나는 뒤따라갔지만 말을 붙이지 못해 책상 앞에 앉았다. 말할 때도 요령이 필요한 거야. 좀 더 기다리자.

"자기는 한 번씩 보면 속이 시커멓더라."

도대체 무슨 말인가. 이해할 수 없었다. 언어란 얼마나 불성실한 것인가. 내 마음의 반도 전달하지 못한다. 좁쌀 정도만 전달한다. 좀 더 생각했다. 남자와 여자는 이해하는 방향이 다르다. 아주 오래전, 석기 시대에 사냥했던 남자는 오랜 시간이 지났지만 건물이나 거리 같은 큰 것에 여전히 익숙하고, 여자는 장롱이나 옷장 안에 든 작고 사소한 것들을 더 잘 안다. 그래서 사냥감을 찾듯 채널을 돌리는 남자는 옷가지 하나 쉽게 찾지 못한다. 변명이라고 해도 할 수 없었다.

"그것을 들이대고 따지게 되었을 때 아래층 여자가 얼마나 무안하겠어. 그런 상처는 쉽게 못 잊지, 암 못 잊어. 그래서 나는 그냥 놔두자고 한 거야. 내가 무슨 딴 속셈이 있는 줄 알아?"

그 말에 아내가 웃었다. 아내는 몇 차례 사기를 당할 만큼 순진했고, 어리석은 나도 아내를 이해하고 감싸주는 것이 도리라고 생각했다.

"그래, 내가 순진해서 그렇지."

"맞아. 그렇구나. 두구동에서 사기당한 것부터 해서 말이야."

그녀가 웃자, 나도 속이 스르르 녹았다. 서로의 마음을 아는 것이 이 세상에서 가장 중요한 일이야. 어려움을 헤치고 나갈 실마리가 보이는 듯도 했다. 그럼에도 불구하고 아이들이 잠들었을 때 그녀는 내 요구를 거절했다.

"마음이 심란해서 아무 생각이 없어."

그녀는 몸을 돌리고 누웠다. 나도 굳이 조르고 싶지는 않았다. 나는 조르디가 아니다. 언제 길거리로 내쫓길지 모르는 판인데도 여전히 치밀어 오르는 성욕. 인간으로 태어난 것을 저주하고 있었다. 언제 어느 때고 걸려 오는 카드사 전화처럼 더럽고 질긴 인간의 욕망. 이 더러운 욕망은 늘 대상을 가지고 있다. 대상이 없으면 해소되지 않는다. 그리고 시간이 지나면 다시 작동하는 신체에 욕망이 차오른다. 돈도 마찬가지다. 쉬지 않고 그것이 필요하다. 물건 하나하나, 삶의 하나하나에 돈이 매겨진다. 그 점에서 스스로 양분을 만들어 내는 식물과 달리 대부분의 인간은 실망스럽다, 저속한 욕망의 노예들, 약탈자들이라고 누군가 말했다.

***

"지부장들은 일식집에서 먹고 우리는 삼겹살집이라? 차이가 나긴 나네."

양산의 허우대 큰 J의 말에 창원의 Y가 받았다.

"아, 우리는 옛날의 머슴이라고 생각하면 돼. 머슴은 상도 따로 차려주잖아."

과연 Y의 말이 맞았다. 지주와 머슴이 한자리에서 즐거운 식사를 할 수는 없었다. 아직까지는. 우리는 언제쯤 그런 사회를 갖게 될까. 그럴 리 없다. 인간에게 위계의 욕망이 사라진다면 모를까. 그만둬. 실현 가능성 없는 꿈은 고문의 재료가 된다.

"속 편하고 좋지 뭘 그래. 우리끼리 삼겹살 먹는 게 좋다구."

김해 S의 말에 나도 맞장구를 쳤다. 비정규직 기사가 겸상을 하고 대화에 끼어든다면 버르장머리 없는 가축들이 맞먹으려 든다고 영감님들은 말하리라.

사무실을 나와 똘똘이 식당으로 들어갔다.

"여기 양쪽에 삼겹살 4인분씩 주세요. 소주도 한 잔 주고요."

모두 5명이었다. 2개의 테이블에 나눠 앉았다. 텔레비전에서는 대선자금에 관한 대통령의 해명이 있었다. 어떤 사람이 대통령이 되어야 하는가. 과거 나는 대통령의 자질을 한 가지 생각한 적이 있었다. 조금이라도 사적인 의도나 야심이 있어서는 안 된다는 것이었다. 그러나 지금은 바뀌었다. 본인의 욕심 바로 옆에 전체를 위하는 이타적인 마음을 가져야 한다는 것이었다. 대통령은 마음에 들었지만 지금 들리는 목소리는 듣고 싶지 않았다. 그는 이 사회에서 아무것도 할 수 없었다. 기득권을 상대하기에는 너무 미약한 수장이었다.

"다른 데 좀 봤으면 좋겠구만."

내 말에 J가 이렇게 말했다.

"좀 약하기는 약하지요."

"찍은 사람들 책임져야 해."

부산의 H가 나와 J를 보면서 말했다. 그러면 전두환 찍은 사람들, 아니 지지한 사람들 책임을 졌나. 자신이 광고한 물건에 대해 연예인도 책임지지 않는데 투표에 대해 책임을? 그러나 변화를 바라는 내게도 책임이 있는 것은 분명했다.

"우리 같은 비정규직, 도대체 언제 살게 해주는 거야?"

"그건 나도 모르지요."

J가 힘없이 대답했다.

"난 다음에는 민노당을 찍어야겠어. 지금 우리나라가 미국처럼 빈부격차가 심해지기 전에. 유럽에는 좌파가 있어 그래도 사회복지가 낫잖아."

내 말에 아무도 말이 없었다. 하긴 좌파라면 다들 빨갱이라고 생각하는 세상이니 원! 다들 입 다물고 조용히 듣고만 있었다. 누가 들을까 아직도 무서운지.

"농부의 아들은 농부가 되고 법관 아들은 법관이 되고 있어요."

"맞아요. 얼마 전 신문에 보니까."

J의 말에 H가 대답했다.

"아, 농부가 되면 어떻고 의사가 되면 어떻습니까? 돈만 많이 벌면 되지."

"저런! 저런! 그런 생각을 가지니까 세상이 썩어가는 거야. 이건창이 대통령이 됐으면 어쩔 뻔했어. 대선자금도 자금이지만, 친일하고도 그 집안이 대대로 잘 살면 어디 될 일이야?"

"그런 허튼소리 말고 내 직장이나 좀 알아봐 줘. 버스 기사도 좋고."

창원의 Y가 불쑥 둘 사이를 훼방 놓았다.

"대형면허는 있어?"

"면허야 10년 전에 따놓았지. 근데 경력이 없으니까 버스 회사에 들어갈 수 없더라고."

"계약기간이 얼마나 남았어?"

"한 7개월 남았어."

"나는 그만두면 이라크나 가야겠어. 하루 일당이 30만 원이라니까. 한 달이면 도대체 얼마야?"

"가면 위험한데 가족들은 어쩌라구?"

"여기서 죽으나 전쟁터에서 죽으나 죽는 것은 마찬가지야."

"쯧쯧 왜 이리 극단적이야."

여전히 텔레비전에서는 대통령 목소리가 흘러나오고 있었다.

"아이구 차떼기 돈, 풀었으면 죽는 사람들 없었을 텐데."

"아, 죽을 놈은 다 죽게 돼. 살 놈은 살고."

그때 핸드폰 진동이 느껴졌다. A 카드사다. 나는 주위 사람이 알세라 서둘러 핸드폰을 호주머니 속으로 밀어 넣었다.

"담뱃값 5백 원은 올리기로 했다면서?"

"담뱃값 올리면 사람들이 정말 많이 안 필까?"

"부자들한테 세금 내라는 소리는 제대로 못 하고 애매한 서민들한테만 죽도록 거두겠다는 거지."

"정부라는 게 그렇지. 약한 사람들한테만 힘을 써. 군대 가야지. 세금 내야지. 죽는 건 서민이야. 변호사, 대기업, 관료, 국회의원 이런 사람들한테는 큰소리도 못 치고."

"그리고 지역감정 문제 그거 해결할 것 같애? 아니야. 그 놈이 그놈이야. 지금껏 이들을 봐왔는데 빨아먹을 수 있는 대로 다 빨아먹을 거야."

"그래서 이런 말이 있지. 투표는 좋은 놈을 찍는 게 아니고 덜 나쁜 놈을 찍는 거라고 말이야."

다들 흥분해서 누구의 말도 듣는 것 같지 않다. 마구 떠들어 댄다.

"빈부 격차 줄이기는 개뿔! 부자는 더 많은 돈을 모아 격차를 벌리고 대대로 누리기 위해 고액 과외시키지. 유학 보내지. 원정 출산하지."

"그렇다고 한 번에 와이셔츠를 열 장 입겠어, 오입을 한 번 할 걸 열 번 하겠어?"

***

차압이 들어온다면 어떻게 하지? 수십 번, 수백 번이나 했던 걱정이 퇴근길에 떠오른다. 먼저 아이들 돌에 받았던 금반지, 비디오카메라, 디지털카메라, 홈시어터에 빨간딱지가 붙을 거야. 이것들을 숨기고 싶어진다. 어디에 숨겨둘까. 아랫집 창고, 아니면 친한 동네 할아버지 집, 물론 이런 물건들을 들고 나른다면 다들 이상한 눈으로 볼 거야. 밤에 도둑처럼 이것들을 옮겨야 하나.

그때 라디오에서 광고가 나온다. 2,000cc 자동차를 타면서 일반엔진오일을 쓴다고요, 하며 가수가 이런! 하고 혀를 차는 것 내지 화를 내는 듯한 목소리가 이어진다. 좋은 집에 살며 좋은 차를 타고, 좋은 엔진오일을 넣으며 사는 사람들은 나 같은 서민들보다 더 좋은 소파가 있을 거야. 침대도 더 좋으니 더 달콤한 키스를 하고 섹스도 하겠지. 그러려면 그들은 아마 입술이 열 개는 될 거야. 이런 생각을 하자 갑자기 우울해진다.

그런데 집에 돌아왔을 때쯤 흘러나온 광고는 더 가관이다. 광고는 어떤 것보다 즐거워야 하지 않은가. 적어도 스트레스는 주지 않아야 하는가. 누가 그랬던가. 날씬한 여자가 남자 친구에게 차가 있느냐고 묻더니, 엔크린 보너스 카드가 있냐고 묻는다. 남자가 없다고 하자, 대뜸 여자가 화를 내며 저 갈게요, 라고 말하는 것이다. 황당한 남자의 얼굴이 보이는 듯하다.

연예인들은 어떤 사람들일까. 그들은 자신이 광고한 제품에 대해 결코 책임지려 하지 않는다. 그들은 말한다. 단지 이미지만 팔았을 따름이에요. 하긴 원자력 발전에 대해 장중하게 광고했던 탤런트가 얼마나 원자력에 대해 알고 있었을까. 아마도 원자력 교수나 반핵운동가만큼 아는 바는 없었을 것이다. 그들은 이렇게 말하는 듯하다. 다시 말해서 너는 카드를 광고한 모델의 산뜻하고 귀여운 느낌 때문에 카드를 가지면 그만인 거야, 바보야! 그래, 그들을 욕할 수는 없어. 암 그렇지. 그럼 누구를 욕해야 하는가. 신문 기사를 쓰지만 거기에 대해 책임지지 않고, 법을 만들거나 정책을 집행하거나 사람을 구속하지만 누구도 책임지지 않는다. 그리고 정작 카드를 과도하게 사용했지만 나도 책임지지 않는다. 그렇다. 나도 책임지지 않아도 된다. 우리는 모두 책임지지 않아도 된다. 결코 일어날 수 없는, 불가능한 일이지만.

초인종을 누르자, 직, 직, 탕, 소리와 함께 대문이 열린다.

내가 이승이 아니라 여기 이 집에서 살날은 얼마나 될까. 서글픈가. 아쉬운가. 지구의 나이에 비하면 인간이 살기 시작한 세월이 그랬어. 파리 뭐만큼 작은 거였어. 다른 사람들처럼 삶이 영원할 것으로 생각하는 것은 아니겠지. 우리는 잠시 지구에 다녀가는 밤손님이야. 현관문을 열자, 작은애가 먼저 달려든다. 나는 아이를 안고 빙빙 돈다. 몇 차례를 돌고 나서야 소파에 아이를 내려놓는다. 앉았지만 여전히 세상이 빙빙 도는 느낌이다.

"아빠, 나도, 나도!"

큰아이의 말에 나는 아이를 안고 빙빙 돈다. 지금까지 살아오는 내내 느끼지 못했던 지구가 빙빙 돈다. 나와 아이를 안고 빙빙 돈다. 도는 동안 아무런 생각이 들지 않는다. 그저 빙빙 도는 계통발생을 되풀이한 것 같은 생각이다. 몸뿐 아니라 생각하는 것도 꼭 계통발생을 되풀이하는 것 같다. 과거 내 조상들이 그런 생각을 한 것처럼 나도 이런 생각을 하는 것 같다. 아이를 내려놓고 나서 빙빙 도는 것을 어쩌지 못해 자리에 털썩 주저앉는다. 다시는 이 아이들을 볼 수 없다면 어쩌지? 눈을 감으면 세상이 사라지는 것처럼 아이들이 보이지 않겠지. 혹 내가 원양어선을 타고 바다에라도 나가야 한다면? 그렇다. 가족들끼리 헤어져 사는 사람도 많은데 이렇게 사는 것만 해도 다행이지 않은가. 누구일까. 감사하며 다행이라고 생각하며 살라고 한 자들은. 아무튼 나는 세상의 곤고함을 지나 평온으로 가고 있다.

얼마 뒤 감기약을 먹자 몽롱해진다. 병은 그냥 오는 것이 아니다. 그것은 지나치게 생각이 많아졌을 때 온다. 내 몸은 자신을 보존하기 위해 잠시 나를 고통으로 끌어당겨 생각을 하지 못하게 하려는 것이다. 비눗방울 속에 들어가 날아가는 것처럼 세상이 환상적으로 보인다. 나는 누구를 돌볼 수 없지만 천진한 어린이가 된다. 비눗방울 속에서 보는 세상은 신기함과 무서움은 있지만 지지리 궁상은 보이지 않는다. 어쩌면 그간 내가 보아온 세상은 가짜가 아닐까. 비눗방울 속이 진짜이고, 나, 아이들, 아내, 직장, 부모, 국가, 모든 것이 시도된 비눗방울일 뿐이다. 언젠가는 터지고 말 비눗방울. 그런데 이런 비눗방울은 누가 만들어낸 걸까.

***

금요일 오후, 집에 돌아오니 아무도 보이지 않는다. 아내와 아이들 모두 목욕탕에 간 듯하다. 혼자 커피에 빵 부스러기를 먹고 보일러를 켠다. 자리에 누워 무당이 귀신을 부르듯 텔레비전을 보며 잠을 부른다. 잠은 나를 쉬게 해 줄 것이며 꿈도 꾸게 해 줄 것이다. 지구가 도는 것처럼 안구 운동도 할 것이다. 어쩌면 허상에서 벗어나 진실로 가는 길을 알려줄 것이다.

눈을 떠보니 아이들과 아내가 집에 와 있다.

"세상에 다시 태어난다면 어떻게 태어나고 싶어?"

저녁을 먹은 후 아내가 무심코 말을 던진다. 그 말에 나는 더없이 진지해진다. 이런 때 유머스럽지 못하다는 것은 얼마나 큰 약점인가. 그것을 나는 한참 후에야 깨닫는다.

"이 세상은 고해야. 이런 세상에 다시 태어나고 싶지 않아."

이 말에 아내는 잠시 말을 잃었다. 그러다가 입을 열었다.

"나는 다시 태어난다면 좋은 부모 아래 태어나고 싶어. 따뜻하고 애정 있는 부모한테 태어나고 싶어."

그건 내게도 해당하는 말이었다.

"장인어른은 인자하고 부드럽잖아."

"그렇지만 어린애 같아."

이런 얘기를 나누고 있는 내가 문득 전생에 자리를 잡고 있는 것 같다. 아니 꿈을 꾸고 있는 것처럼 여겨진다. 다시 잠 속으로 빠져든다. 원시적인 몽롱함 속으로 헤엄쳐 들어간다. 나는 고통을 피해 치유할 수 없는 병을 향해 쉬지 않고 헤엄치고 있다. 그 어디엔가 있을 안락과 편안함을 찾아. 바위 아래, 동굴 속 어느 곳인가. 그러다 보니 계통발생을 거슬러 올라가는 것 같기도 하다. 바닷속 정령들이 헤엄쳐 나를 향해 다가오더니 금방 사라진다. 노란 해마가 다가온다. 처음 보는 해마다. 나는 그의 이름을 묻지만 대답이 없다. 어쩌면 나에게 좋은 일을 알려주려고 온 걸까. 그렇게 믿고 싶어진다. 해마는 빙긋이 친한 웃음을 짓는다. 나를 빙 둘러보고 한 바퀴 돈 후 천천히 제 갈 길을 간다.

다음 날 아침이다. 나는 큰아이가 학교 갈 때까지 잠 속에 빠져 있다. 그러다가 아이가 아침을 먹을 무렵 화장실로 들어간다. 추운 날씨다. 몇 분 변기에 앉아있는 동안에도 시베리아의 한기가 느껴진다. 아파트에 살았더라면 이런 고통은 없었을 것이다. 큰아이도 학교에 가기 싫어 뭉그적거리다 엄마의 잔소리를 듣고서야 겨우 일어선다.

"정말 겨울은 싫어. 추워서 싫어."

아내의 말에 나도 고개를 주억거린다. 겨울은 죽음과 가까운 계절이다. 혹독한 시련 속에 생명체를 몰아넣는다. 내가 고향을 떠나 남쪽 마을에 거처를 정한 것도 해발 육백 미터 고원의 겨울이 싫어서이다. 수시로 눈이 발목까지 쌓이고, 문고리는 잡기만 해도 달라붙었다. 아이를 학교까지 데려다준 후 돌아와 다시 눕는다. 아내는 이발을 다녀오고 목욕탕도 갔다 오라고 성화다. 귀찮다. 모든 것이 귀찮아진다. 이 세상에서 살려면 끊임없이 해야 하는 정상에 바위 밀어 올리기. 부수고 다시 쌓고 부수고 다시 쌓고. 인간은 쉴 새 없이 움직이는 방향으로 진화했다. 고릴라는 하루 종일 움직이지 않아도 살지 찌지 않지만 인간은 움직이지 않으면 금방 비만이 된다. 그렇든가 말든가. 아는 것과 행동하는 것과는 다르다. 난 원래가 게으른 인간이다. 우리 부모님이 무수히 내게 말했듯 나는 게으르고 또 게으른 인간이다. 잠이 많고 또 많은 인간이다. 잠이 많아서 망할 거라고 어머니는 늘 말했다.

어떤 사람들은 내가 이상하다지만, 나는 눕자마자 금방 잠이 오는 소리를 듣는다. 몽롱함 속에 느껴지는 의식과 무의식의 사이. 그 어딘가에 나는 지금 있을 것이다. 거기는 윤곽이 불분명한 흐물흐물해진 액체의 세계다. 거기는 늘 안락한 기분이 든다. 부단히 애써서 살아간들 세상에는 아무 의미가 없다. 우리 부모가 그랬던 것처럼 우리 조부모가 그랬던 것처럼 겨우 밥 먹기 위해 버둥거리다 목숨을 놓을 뿐이다. 거기에 신의 큰 뜻도, 오행이나 음양의 조화도 없다. 우리는 부질없이 계통발생을 되풀이하여 세상에 왔다가 우주의 먼지가 되어 흔적 없이 사라질 뿐이다.

아내가 어젯밤 꿈 이야기를 한다.

"7층 명희네 집. 그러니까 아파트 고층인데. 명희네가 이사를 간다고 하는 거야."

명희는 아내가 가르치고 있는 학생 이름이다.

"누런 장판. 때가 끼어 누리끼리한 장판이 보였어. 그다음에 화장실에 갔어. 볼일을 보고 있는데 수챗구멍에서 붉은 아니 누런 구렁이가 고개를 쑥 내밀고 올라오는 거야. 와락 겁이 난 나는 어쩔 줄 모르고 집을 나와 엘리베이터도 못 타고 계단으로 뛰어 내려왔어."

더 이상 아내의 목소리는 들리지 않는다. 아니 듣고 싶지 않다. 계단을 내려오는 것은 쇠락의 징조이다. 운이 하강하는 것이 분명하다. 정말 좋은 꿈이 아니야. 그렇지만 커다란 구렁이의 상징은 알 수 없다. 무엇을 의미하는 걸까. 불행과 고통, 아니면 행운이나 성공. 몰라, 모르겠어, 몰라. 나는 지금껏 살면서 잘된 적이 없기 때문에 미래가 잘될 것이라는 생각에 쉽사리 숟가락을 올릴 수 없다.

다시 눈을 뜨자 아내는 갓 지은 밥과 시래기 된장국을 담은 상을 가지고 방으로 들어온다.

"끼니때마다 챙겨 먹으려니 고생이야. 그래도 지금까지 난 많은 일을 했지?"

그녀는 자신이 얼마나 많은 일을 해왔는지 말하는 중이다. 나는 아내가 밥상을 차려오는 것에 거부감이 없다. 일을 하는 자이기 때문에 당연히 받아먹고 있다. 그래서 내 삶을 요리하는 것에서 배우지 못한 걸까. 먹고 싶은 것, 좋아하는 재료나 양념, 뒤집는 방법이 아내와 달라질 수 있는데. 나는 삶의 즐거움 하나를 잃었다.

"오후에는 이발하고 목욕도 좀 해."

두 번째 하는 말이다. 나는, 남자들이란 요렇게 생겨먹었어, 라고 말하지 않는다. 그것은 그녀에게 변명일 따름이다. 그녀의 말을 듣지 않는 것은 내게 해롭고, 우리가 결혼한 것은 서로의 말을 잘 듣겠다는 약속이지 않은가. 부부나 애인이 마음을 상하게 되거나 다투게 되는 것은 커다란 일 때문이 아니다. 아주 사소한 일 때문이다. 이것은 아내로부터 배운 것이다. 아내는 내게 몇 차례 꼭 이렇게 말했다. 나는 순순히 그러겠다고 말한다. 언제 그것을 잊을지 모르지만.

점심을 먹은 후, 아이들이 갑자기 시끄러워졌다. 텔레비전을 켜놓고, 컴퓨터를 켜고, 실로폰을 두드리고, 리코더를 불고, 누구도 제지하지 않는 상황에서 벌어진 이 행동들이 좀 더 넓은 공간에서는 커다란 해가 되지 않는다. 하지만 거실이나 작은방이 모두 추워 안방에서 오글오글 사는 주택이라면 커다란 고통이 된다. 이것도 아내의 말이다. 내 말이 아니라. 나는 그녀가 한 말 속에서 살고 있다. 물론 그녀도 내 말 속에 살고 있을 것이다. 무슨 말을 하기 전에 서로가 했던 말을 떠올릴 것이다. 이것이 서로에게 적응하는 과정이다. 이 순간 내가 만약 아이들을 데리고 나섰다면 아무런 일도 일어나지 않았을 것이다. 리코더를 집어던지고 고함치는 아내를 보지 않아도 되었을 것이다. 누가 이 장면을 보면 웃을지 모르지만 나는 이런 여자와 살고 있다. 나중에 생각해 보니 아이들이 떠든 것은 아마도 무의식적인 것 같았다. 그럴 만해서라고 말하면 될까. 아이들은 엄마의 화가 극도로 오른 것을 본능적으로 알았을 것이다. 그래서 엄마가 터트릴 기회를 장만해 준 것이었다. 우리가 통상적으로 생각하는 것처럼 전혀 그 반대가 아니다.

"겨우 참고 살고 있는데 이놈들이!"

나는 뒤늦게 아이들을 데리고 집을 나섰다. 거리에 나서자 속이 툭 틔었다. 나는 아이들과 즐겁게 미장원으로 걸어갔다. 그런 후 병원을 거쳐 거리를 떠돌고 있는데 아내에게서 전화가 왔다.

"왜 이리 늦는 거야?"

"혼자서 조용한 시간 보내라고."

"그럴 필요까지는 없는데."

아내의 애처롭게 웃는 모습이 떠오른다. 나는 아이들을 집으로 들여보내고 목욕탕으로 향한다. 설마 아이들에게 또 화내지는 않겠지.

***

"오후에 쌀 사러 가야 돼."

아내의 말에 나는 힘없이 물었다.

"쌀 살 돈은 있어?"

"응, 있어."

얼마 전 동양마트에서 쌀을 사 온 것 같은데 너무 이른 감이 있다. 따로 주전부리할 것이 없으니 다들 밥을 많이 먹는 모양이었다. 신정 때에는 내가 회사에서 받아 온 김으로만 보름을 넘게 먹었다.

"앞으로 나한테 며느리가 어쩌고저쩌고하는 사람만 있으면 가만 안 둘 거야."

아내는 시부모가 여전히 못마땅한지 투덜거린다. 혼란스러운 나는 입을 다물고 있다. 부모는 부모고 자식은 자식. 우리는 서로 독립적인 개체이다. 자기 일은 각자가 책임져야 하고 서로 기대거나 하는 것은 바람직하지 않다. 이것은 내게 학교나 부모에게서 받아 온 교육이었다. 그런데 위의 것들과 성질상 다른 의무가 있었다. 자식이 부모에게 할 의무였다. 안부 전화를 드리고, 제사나 명절, 생신 때마다 찾아뵙고 성의를 표하는 날이 이어졌다. 내게 경제적인 어려움이 없었다면 이런 관계는 죽는 날까지 이어졌을 것이다. 그러나 내가 어려움에 닥쳐 손을 내밀었을 때 부모님은 손을 잡아주지 않았다. 당신들 어렵게 모은 재산이 축날까 두려워 내가 어렵다고 말하자마자 스스로 연락을 끊었다. 찾아가도 문을 열어주지 않았다. 처가도 마찬가지였다. 장모님이 부탁할 때마다 우리는 큰처남에게 돈을 빌려주었지만 단 한 번, 보증을 서주지 못했을 때 사정은 물어보지 않고 아내에게 막말했다. 결국 양가와는 연락이 끊어졌다.

한 씨 이야기가 떠오른다. 한 씨는 청소부였다. 아내가 죽은 후 혼자 딸을 키워왔다. 소홀히 하는 것 같아 죄책감을 느끼면서. 그는 청소부였기 때문에 동네에 모르는 사람이 없었다. 파출소 김 순경과도 서로 인사를 하며 덕담도 나누는 처지였다. 그는 부근에 있는 슈퍼 옆에 개 한 마리를 키우고 있었다. 오고 갈 데 없는 개를 자기 집에서 키울 수 없어서였다. 그는 수시로 슈퍼 앞을 지나치며 게으른 가겟집 아저씨 대신 쌀가마나 무거운 짐을 들어주었다. 그때마다 가겟집 여자는 고마워했다. 그는 가겟집 옆 공터에 마련된 개집에 하루 몇 번씩 들렀다. 그는 개에게 한 끼도 거르지 않고 개에게 먹을 것을 주었다. 그런 어느 날이었다.

새벽 어스름 속에 그는 거리를 돌고 있었다. 어느 동네 모퉁이에서 그는 두 명의 청소부를 내려준 후 천천히 청소차를 몰았다. 쓰레기가 쌓인 곳에 차를 대려고 했을 때였다. 어디선가 꽝 소리가 났다. 무언가에 부딪혔을까. 그는 쓰레기통을 받은 것이 틀림없다고 생각하며 차에서 내렸다. 그런데 쓰레기통 옆에 한 사람이 피를 흘리며 누워 있었다. 흔들어댔지만 소용이 없었다. 그때 새벽 운동을 하던 남자가 꽝 소리에 달려와 이 광경을 보았다. 뒤이어 두 명의 청소부도 달려왔다. 그는 처음에는 아무것도 파악하지 못했다. 교통사고를 처음 낸 사람들처럼 어리둥절했다. 정말 청소차가 사람을 치었는지, 아니면 쓰레기통만 치었는지. 멍한 상태에서 그는 바닥에 떨어진 생선에도 눈길을 주지 못했다. 지금 같으면 CCTV나 블랙박스가 있어 사건의 전모를 파악했을 테지만 그런 것도 없던 때였다. 수사가 시작되었다. 직업의식이 투철했던 김 순경은 그를 용의자로 지목한 후 냉정히 대했다. 애초 그를 변호하려던 동료들도 김 순경으로부터 거짓 진술을 하게 되면 피해를 당할 수도 있다는 말을 들은 후 태도를 바꾸었다. 아무것도 본 것이 없다고 진술했다. 슈퍼 여자도 마찬가지였다. 게으른 남편을 대신해 무거운 짐을 들어주던 그를 위해 어떤 변호나 위로의 말도 해주지 않았다. 그뿐이 아니었다. 그가 용의자로 지목되자, 그의 딸은 친구들 보기 부끄럽다며 그를 아버지로 둔 것을 창피해했다. 낙심한 그는 집안에 누워 있었다. 시청 청소과에서 당분간 출근하지 않아도 좋다는 통고를 받은 터였다. 그는 절망했다. 그를 도와주려거나, 처지를 동정해 주거나 가슴 아파하는 사람도 없었다. 다음 날 아침이었을까. 그는 마당에 놓인 동태 한 마리를 보았다. 이것이 왜 여기 있지? 이상하게 여긴 그는 동태를 집어 들었다. 누군가 갖다 놓지 않은 이상 동태가 있을 리 없었다. 동태는 몇 미터 앞에도 있었다. 그는 동태를 주우며 걸어갔다. 그것은 슈퍼 앞까지 이어져 있었다. 그는 슈퍼 여자에게 지금 동태를 파느냐고 물었다. 엉겁결에 여자는 게으른 남편 욕을 해댔다. “아이구! 그 인간이 게을러서, 수산시장에 가야 동태를 팔지요.” 이후 수사는 동태에 집중되었고, 사건 당일 슈퍼 남자가 수산물 시장에서 동태를 사 오다가 사고를 낸 것이 확인되었다.

나는 웃으며 메가마트 안으로 들어갔다. 안은 혼잡했다. 2층에 겨우 차를 대고 안으로 들어서자, 혼탁한 공기가 입과 콧속으로 스며들었다. 우리는 많은 돈이 없었다. 꼭 필요한 물건만 샀다. 오렌지주스, 제주도 귤 한 봉지, 구이용 고등어, 우유, 만두와 소시지. 쌀은 20킬로그램을 샀다가 10킬로그램으로 바꾸었다.

"나중에 쌀은 더 사기로 해요."

많은 사람과 부딪치며 그들의 쇼핑카에 담긴 물건들을 보았다. 누군가가 사주기를 바라는 물건들도 보았다. 돈을 지불하는 사람들도 보았다. 그들은 물건을 사기 위해 직장생활을 해서 아니면 다른 방법으로 돈을 벌고 있었다. 이들은 이런 곳에서 만나 이야기한다. 누구는 어떤 집에서, 어떤 가구에, 어떤 음식을 먹고, 자식에게 어떤 옷과 가방을 사준다고 하네. 누구는 부자일까 가난할까.

***

지로실에 있는 3대의 인식기는 쉬지 않고 돌아가고 있다. 용지 하나가 지나갈 때마다 화면에 흔적을 남겼다. 파트타이머 아줌마 중 누군가가 틀어놓은 카세트에서는 캐럴이 흘러나오고 있다.

'울면 안 돼. 울면 안 돼. 산타할아버지는 우는 아이엔 선물을 안 주신대요.'

그렇다. 누구도 울며 징징거리는 꼴은 보기 싫은 것이다. 처음에는 애처롭게 보여도 곧 지겨워진다. 더더욱 그것이 나이 든 어른이라면 그렇다. 연체해서 살기 어려워 죽고 싶다고 징징거려본들 거대 신문에서는 그것을 기사로 내보내지 않는다. 누군가 경제난으로 죽었을 때만 잠시 귀를 기울이는 체한다. 언제부터였을까. 거지를 동정하지 말라고 한 게. 아마도 이 나라에 진화론이 들어오고 약육강식이라는 말이 성행하기 시작한 때가 아닐까. 약한 동물은 강자에게 먹히는 것이 자연의 법칙이다, 라고. 약한 자는 징징거리지 말지어다. 이것이 제국주의 논리임을 구한말 개화파들은 알았을까. 아마 몰랐을 것이다. 물질에 반해 보이지 않는 것의 고귀함을 설파할 논리가 없었을 것이다. 그래서 스스로 친일의 길을 걸어 일본의 지배에 순응하였을 것이다.

“아이들한테 줄 선물 준비했어요?”

가장 오래된 파트타이머 아줌마가 내게 물었다. 나는 말 대신 슬며시 웃었다.

“여자아이들한테는 인형이 좋아요.”

다른 아줌마가 잠시 손을 멈추고 뒤를 돌아보았다.

“인형은 좀 비싸지 않나. 우리는 케이크 하나 사다가 촛불 켜 놓고 소원 비는데.”

또 다른 아줌마의 말에 맞장구를 치고 나는 가위를 놓고 일어났다.

“좋은 생각입니다.”

앞으로 한두 시간 후면 일은 끝날 것이다. 나는 창가로 갔다. 멀리 빨간 십자가 아래 늘어진 전등이 보이고 그 앞으로 쇼윈도 안이나 밖에 크리스마스트리를 세운 가게들이 보인다. 하늘의 산타는 무엇을 하고 계실까. 사람들이 기다리는 줄 안다면 꼭 그날이 올 때까지 자리에 앉아있을 수 없을 것이다. 건너편 백화점 앞에는 모자에 빨간 띠를 두른 구세군 사관들이 종을 흔들고 있다. 카세트에서 흘러나오는 캐럴은 바뀌어 있다.

‘라 쿠카라차.’

나는 캐럴에서 설렘을 느낄 수 없다. 단지 명랑하고 환한 목소리의 아이가 떠오를 뿐이다. 다가오는 크리스마스를 기다리는 벅찬 느낌과 간절히 복을 비는 사람에게 내려줄 축복에 대한 기다림은 없다. 짓눌리고 우울한 기분 때문일까. 나는 크리스마스를 몇 개의 색채와 느낌으로 나누어 분석을 시도해 본다. 우선 하얀색의 밝음일 것이다. 환한 등불이나 하얀 눈이 주는 밝은 하얀색이다. 다음은 빨간색의 따스함이나 포근함이다. 구세군의 빨간 냄비가 그렇고 목소리나 외투, 산타의 복장이다. 그다음은 녹색일까, 검은색일까. 종소리의 거룩함, 크리스마스 캐럴과 트리. 이 부분에서 나는 멈춘다. 이것은 과연 어떤 색일까 싶다. 어쩌면 거룩이 난무하는 곳에 빠진 것 같다는 느낌이 든다. 눈을 감았다가 뜬다. 내 눈에 보이는 것은 진짜가 아니다. 전시효과나 무대장치, 아니면 이미지에 불과한 것이다. 거룩함도 그럴까. 우리 영혼이 그런 것처럼 눈에 보이지 않지만 눈에 보이는 것과 관계없이 살아가는 것처럼 여겨진다. 그렇다면 크리스마스는 색채와 무관한 것이 아닌가.

그때 카드사의 전화가 울린다. 그녀는 발신자 제한 표시로 전화를 하고는 내내 전화를 받지 않았다고 버럭 화를 낸다. 그녀는 말일 전에 결제를 하지 않으면 안 된다고 말한 후 일방적으로 전화를 끊는다.

"아하 그렇구나. 아하 그렇구나 죽거나 말거나."

얼굴도 모르는 삼십 대의 여자가 크리스마스이브에 한없이 미워진다. 그녀를 죽이고 싶어진다. 칼로 마라를 찔렀던 여자처럼. 아니야. 이 여자는 당사자가 아니야 하수인일 뿐이야. 아니 양 아흔아홉 마리중 하나인 대리인. 이성을 찾으려고 잠시 시도했다가 포기한다. 분노가 장마 지난 풀처럼 쑥쑥 커 오른다. 아마 카드사의 메인 컴퓨터를 파괴하는 것이 제일 좋은 방법이야. 하지만 어떻게? 연체자들과 힘을 모아서. 조선시대에 먹고 살기 힘든 농민들은 산적이 되었지만 임금은 그들을 이해했다. 잡혀도 처벌하지 않고 오히려 자기 잘못으로 인하여 백성이 이렇게 되었음을 자책했다.

그때 집에서 전화가 왔다. 흥분된 아내의 목소리는 떨리고 있다. 그것이 내게 견딜 수 없는 공감을 낳을 것이다. 주인 여자가 우리 몰래 집을 내놓았다는 것이다.

"우리 이러다가 길거리에 나앉으면 어쩌지?"

아내의 말에 아직 공감하지 못한 나는 남의 일처럼 말했다.

"정말 큰 일이네. 아직 전세계약서도 못 받았는데."

불안한 이 집. 1억이 넘게 근저당 설정되어 있는 집에. 주인이 아래층 여자에게 집을 팔겠다고 해서 잠시 계약을 미루었다.

"일단 주인 여자와 통화를 해보고 연락을 해줄게."

장표가 담긴 박스 속에서 재 스캔할 장표를 찾는 동안 머리에 열이 올라 뜨거워졌다. 아내의 목소리가 내 속에서 메아리치며 처절한 공감에 이른다. 거리에 나앉는다는 말이 주는 비참함이 머릿속에 생생하게 그려진다. 울고 있는 아내와 아이들이 보이는 듯하다.

아내의 전화를 기다리는 일은 오래달리기하는 것보다 더 고통스럽다. 연옥과 지옥 사이를 오간다. 사천왕의 발에 짓밟혀 버둥거리는 내 모습을 본다. 언제 카드사에서 차압이 들어올 줄 모르는 판에 전세 계약서가 없으니 어쩌면 잘된 일인가. 카드사에서 가압류한다면 전세 계약서라고 남겨 줄까 봐. 그건 아니었다. 가만히 앉아 아래층 여자에게 전세금을 날릴 판이었다. 에이 될 대로 돼라. 죽으면 죽으리라. 한순간 체념했다. 나는 끝도 없는 바닥을 향해 떨어진다. 바닥이 있다면 다시 튀어 오를 것이 분명하다. 그렇지만 바닥이 없다면 나는 영원히 떨어지는 형벌에 처해진 것이다. 힘들고 고통스러웠던 과거의 일들이 하나씩 밀려온다. 그러고 있을 때 아내의 전화가 온다. 시계를 본다. 그 사이 1시간 30분이 흘렀나 보다.

"아래층 여자와 통화했는데 괜찮을 것 같대."

나는 다시 창으로 다가가 불빛이 환히 비치는 도시를 보았다. 저기 저 휘황한 불빛을 떼어 조금만 내게 준다면 얼마나 삶이 환해질 것인가. 아니 그 곁에 내내 서 있는 것이라도 허락해 준다면 얼마나 따뜻할까. 카세트에서는 여전히 캐럴이 흘러나오고 있다. 노엘 노엘 노엘 이스라엘 왕이 나셨네. 예수님처럼 한 마리 양을 찾기 위해 아흔아홉 마리 양을 내버려 둘 사람은 없을 것이다. 아니 한 마리 부자 양을 위해 가난한 아흔아홉 마리의 양을 버릴 것이다.

퇴근길에 마트에 들러 생크림 케이크를 하나 샀다. 작은 아이가 좋아하는 키위가 얹힌 것으로. 아내의 얼굴이 떠오른다. 며칠 전에 돼지저금통을 털었어. 제발 케이크는 사지 마.

***

우울한 마음으로 집을 나섰다. 차 앞 유리에 성에가 끼었지만 닦지 않고 그대로 출발했다. 가로등이 있는 곳이나 맞은편에서 차가 올 때는 아무것도 보이지 않았다. 그럼에도 불구하고 나는 내버려두었다.

'엔진 온도가 좀 높아지면 창문 쪽으로 히터를 틀지 뭐.'

이런 생각은 오래가지 않았다. 사거리를 통과하기 직전 행인이 도로를 횡단하는 것이 흐릿하게 보였다. 덜컥 겁이 나 브레이크를 밟았다.

당번 은행 앞에는 예상보다 일찍 도착했다. 당번 직원이 내게 자판기 커피를 한 잔 건네준 후 사라졌다.

"잠시만 기다리세요."

"네. 그러지요."

커피를 한 잔 마시고 났을 때 내 모습이 붕 떠오르는 환영을 보았다. 내가 내 자신의 모습을 보는 기분은 묘하다. 이상하고 두렵기도 하다. 오래전 이런 나를 몇 번이나 본 것 같은 생각이 들었다. 가방을 든 직원이 문을 열고 옆자리에 앉았다.

"따뜻해요."

무릎 위에 여성용 숄을 덮으며 당번 직원이 말했다. 내가 미소를 지었는지 안 지었는지는 알 수 없다. 그는 총각이었지만 계약직이었다. 내년 시험에 통과해야만 애인과 결혼도 하고 전세자금 대출도 받을 수 있다고 말했다.

"어제 2시까지 회식을 했더니 너무 졸리네요."

얼굴이 뽀얀 총각은 어딘지 모르게 낯이 익다. 입고 있는 하얀 털이 달린 외투도 그렇다. 그는 의자를 눕히고 잠이 들었다. 그는 장사나 사업을 할 성격은 아니라고 본인 입으로 말했었다. 그가 정규직이 된다면 좋겠지만 그게 꼭 행복할 것 같지는 않았다. 무엇을 이루면 행복해질 것 같지만 막상 그것을 얻게 되면 그게 아니라는 것을 알게 된다. 달리는 동안 캐럴이 흘러나왔다. 흰 눈 사이로 달리는 산타. 산타는 부자와 가난한 자를 차별할까.

어떤 사람이 예닐곱 살에 산타를 만난 적이 있었다. 그러니까 이 이야기는 그 남자가 내게 들려준 이야기다. 사실이라고 하기도 그렇고 아니라고 하기도 그렇다. 어릴 적 이야기니까 그렇다. 그가 본 산타는 우리가 아는 산타와 달랐다. 빨간 모자와 털옷이 없었다. 선물 주머니도 없었다. 실망스러웠다. 가슴에 산타할아버지라는 이름표가 붙어 있을 따름이었다. 그는 산타에게 다가갔다.

"왜 그러고 계세요?"

그 말에 속옷만 입은 산타는 아주 난처한 표정을 지었다. 왜 그럴까. 그는 한참이나 산타를 쳐다보았다. 마침내 산타는 난처한 표정을 지으며 말했다.

"사실은 하늘나라로 데려다 줄 사슴이 없어서 이러고 있단다."

"사슴이 도망갔어요?"

"아니야. 사람들이 빼앗아 갔단다. 나는 선물을 주러 왔는데."

"나쁜 사람들이네요. 돌려달라고 해보지 그러셨어요?"

"달라고 애원했는데 들은 체도 않더구나."

"그럼 어쩌지요? 음, 제가 찾아드릴 수도 없고. 참, 산타 할아버지는 부자잖아요. 사슴들도 많이 있을 테고요. 애들이 원하는 것을 무엇이든 줄 수 있고요."

"그래 맞아. 하지만 하늘나라에도 사슴이나 선물이 많은 것은 아니란다. 그해 선물은 아이들 수만큼 만드는 거야. 내가 사슴을 타고 달리다가 내린 곳은 빌딩과 아파트 숲이 있는 거리였어. 사슴들이 그곳에 가면 아이들이 많다고 말했거든. 시골에 가면 아이들을 보기 힘들다고 했을 거야. 우리는 거리에 내렸는데 사슴이 끄는 썰매가 땅에 닿자마자 사람들이 몰려들었어."

"사슴을 잠시 하늘에 가 있다가 오라고 하지 그러셨어요?"

"그럴 시간이 없었어. 사람들은 내가 땅에 발을 딛기도 전에 와하고 달려들더니 아무것도 남기지 않고 가져가 버렸어. 사슴하고 썰매까지 가져가 버렸어. 결국 나는 빈 자루를 메고 속옷 차림으로 거리에 서 있게 되었어. 선물은 모두 사라지고, 사슴이 없으니 하늘로 올라갈 수도 없고, 망연히 지상의 눈을 보고 있었어. 그때 노숙자 차림의 아이가 다가와 아는 체를 했어. 너도 지상에 와서 참 고생이 많구나. 나는 활짝 웃으며 녀석을 안아 주었어. 아이는 한참을 안겨 있었어. 그런 다음 나는 잊은 것이 있다는 표정으로 자루에 손을 넣어 선물을 꺼내주려 했어. 그 아이를 기쁘게 해 줄 선물을 귀신처럼 맞추기를 기대하면서. 그러나 손을 넣기 무섭게 나는 깨달았어. 아무것도 줄 게 없다는 것을 말이야. 부끄러운 내 손을 보았어. 나는 더 이상 산타라고 할 수 없었지. 그런데 그때 아이가 배시시 웃는 게 아니겠어? 처음에는 나를 비웃는 줄 알았어. 그런데 가만히 보니 어느 누구에게서도 보지 못한 해맑은 웃음이었어. 무슨 일일까. 궁금해졌어. 내 손에는 아무것도 들려 있지 않았는데. 고마워요. 산타할아버지! 그 아이가 그러는 거야. 선물도 없는데? 내 말에 그 아이가 그랬어. 저를 안아 주셨잖아요. 사람들은 가난한 저를 안아 주지 않아요. 이 말에 나는 눈물이 글썽거렸어. 그러면서 웃음이 나왔어. 내가 무안할까 봐 혹시 웃은 것은 아닐까. 그럴지도 모르지만 손에 잡히지 않고, 눈에 보이지 않는 웃음. 나는 자루 안에 아이의 것과 내 웃음을 넣어두고 싶어졌어. 다음 해 선물을 줄 때 무한히 불어난 이것들을 묻혀서 주고 싶어졌어."

산타의 말에 아이는 고개를 끄덕였어. 그 사이 산타는 급하게 내려온 사슴을 타고 하늘로 올라가고 있었어. 그것이 마지막이었어. 그 아이는 어른이 될 때까지 산타를 만나지 못했어. 물론 어른이 되어서도 만나지 못했어. 그 아이는 주위 사람들에게 산타를 만났다고 자랑했지만 누구도 믿어 주지 않았어. 다음에 선물 줄 때는 웃음을 묻혀 준대. 그래도 소용이 없었어. 세상에 아무것도 가진 것 없는 헐벗은 산타라니, 누가 믿겠어? 선물 보따리가 있어야 산타라고 할 수 있잖아.

그때 뒤따르던 하얀 승용차가 위아래로 라이트를 번쩍거

렸다. 무슨 일인가 싶었다. 긴급 상황인가. 여기는 사고가 자주 나는 구간인데. 라이트가 다시 반짝였다. 빨리 못 가면 비키라는 신호였다. 화가 난 나는 브레이크에 살짝 발을 올렸다가 뗐다.

"빌어먹을 자식, 멋진 상상을 깨뜨리다니. 불을 번쩍거려?"

몇백 미터 갔을까. 하얀 승용차가 우측 차선을 거쳐 앞으로 끼어들더니 비상깜빡이를 켰다.

'한바탕하자는 거로군. 난 싸우고 싶지 않은데.'

이런 내가 이기적이라는 생각은 들지 않았다. 나는 2차로로 방향을 돌렸지만 승용차는 2차로로 따라왔다. 내가 1차로로 다시 틀자, 1차로로 들어왔다. 하는 수 없었다. 나는 비상등을 켜고 자리에 멈췄다. 곧 앞차 문이 열렸다. 30대 초반의 남자가 나를 향해 걸어왔다.

'무어라고 지껄이겠지.'

나는 마음을 가라앉히며 유리문을 내렸다.

"사고 날 뻔했잖아."

"그럼 왜 불을 번쩍거리는 거야. 크리스마스가 다가온다고?"

그는 내 멱살을 쥐려 했지만 내가 몸을 뒤로 뺐기 때문에 잡히지는 않았다. 그때 옆에 앉아있던 직원이 눈을 떴다. 나는 서둘러 그에게 경과를 이야기해 주었다.

"112 전화해요. 어서!"

직원의 말에 남자는 소리를 높였다.

"스티커 하나 끊기지 뭐."

"뒤에 차 밀린 것 좀 봐요."

직원이 뒤를 보며 말하자, 남자는 그들을 향해 욕지거리를 퍼부었다. 그런 후 몸을 돌려 나를 죽일 것처럼 노려보았다. 나도 지지 않고 그의 눈을 노려보았다. 그러다가 늦을 수도 있겠다 싶어 유리문을 올렸다. 그런데 유리문을 잡으려던 그의 손이 문에 끼었다. 그가 다급히 외쳤다.

"어서 유리문을 내려. 내리란 말이야."

서둘러 스위치를 눌렀는데 그가 비명을 질렀다. 유리문을 더 올린 모양이었다. 황급히 유리문을 내렸다. 미처 유리를 정지할 틈도 없이 그에게 멱살을 잡혔다.

"씨발놈이 죽고 싶나?"

그의 욕지거리에 나도 화가 나기 시작했다.

"이 새끼가 누구는 욕 못하는 줄 알아!"

나는 손으로 바짝 다가든 그의 얼굴을 밀어냈다.

뒤편으로 차들의 행렬이 보였다. 아마 10미터는 아니

100미터는 밀려있었다. 잠시 후 이성을 찾은 남자가 말없이 자신의 차를 향해 걸어갔다. 그도 더는 이 상황을 견딜 자신이 없었을 것이다.

"잘 참았어요."

직원이 말했지만 나는 별로 기분이 나쁘지 않았다. 내 탓도 있었지만 그를 미워하고 싶지 않았다. 단지 내 상상을 깨뜨린 것이 화가 났을 따름이었다. (끝)